קְרִיאָה

וּתְפִלָּה

לְמַתְחִילִים

A READING
and PRAYER PRIMER

by
ELIAS PERSKY
SOL SCHARFSTEIN

KTAV PUBLISHING HOUSE INC.

KTAV PUBLISHING HOUSE, INC.

INTRODUCTION

How do we teach Siddur reading effectively and expeditiously to students in a one-hour-a-week reading program? We know that we cannot use the whole-word method, since it is based on a comprehension level which in our case is non-existent and impossible to develop in the aforementioned time schedule.

This leaves us with the phonic method. Here we are indeed fortunate that our alphabet is an ideal one. Every letter involved has a specific sound with no variations or inconsistencies. But the phonic method now in use is inefficient for the one-hour-a-week teaching schedule.

This lack of efficiency is in no way due to the capacities of the students, capabilities of the teachers or approach of the textbook. It is principally due to retenion and recall.

RETENTION AND RECALL

Efficiency in retention and recall depends on two primary factors: frequency and recency. The more a response is repeated, the greater the tendency for that response be recalled. This fact is the basic time-honored rule in learning spelling, arithmetic, etc. *This is frequency.*

The principle of recency. The response which has been exercised most recently is the most likely to occur when a student is given an analogous situation. The factor of recency is fundamental in learning situations.

Within the framework of a one-hour week there is practically no opportunity for frequency or recency.

THE CENTRAL PRINCIPLE THEORY

The third complicating factor is the phonic method in itself. Gestalt psychologists and other researchers have demonstrated that individual syllables are much more difficult to recall and retain than whole meaningful words.

Wheeler, a well-known psychologist, reports on an experiment in which he asked the subjects to memorize three lists of words. The third list was learned much faster than the other two. Why was this? The test showed that the words of the third list were much easier to organize, since they were part of a pattern, such as things, in a house, parts of a sentence, etc.

In practical terminology this means that it is easier to retain and recall the word "תורה" than the individual sounds of "ת" and "ר"; there is one central organizing principle to which all the elements belong.

THE I-A METHOD

In our text with its accompanying records and flash cards we have developed a system to counteract these three major deficiencies of the phonic method in the one-hour-a-week Hebrew reading program.

We have blended two approaches, the whole-word and the phonic method, into a new compact systematic teaching tool. Each lesson starts with a high-frequency religious-cultural "gestalt" word. The accompanying article is read, discussed and reenforced with flash-card drill. After this, the Gestalt word is dis-assembled into its syllabic components. E.g.: the student who has already established a picture-sound relationship to the whole word *Shalom* is now ready to make picture-sound generalizations about its component parts, Sha, lo, lom. The sight Gestalt words alway contains common consonant elements from the previous Gestalt word. The first word in the book is שלום, the next word שבת. Notice how the letter Shin carries over. This procedure continues throughout the book.

In pedagogic terminology this method has been described as an **inductive** and **analytic** learning procedure. It is **inductive,** because specific words are used to arrive at generalizations regarding the sound of the letters of syllables; it is **analytic** because whole words are analyzed to identify letter and vowel combination sounds. We call our system the I-A Method, **I** for **inductive, A** for **analytic.**

SYLLABICATION AND FIXATIONS

Notice that we have played down the individual sounds of the consonants and vowels and emphasized the single and composite syllables. By emphasizing syllables we diminish the piece-meal reading which is so prevalent among phonic readers.

In the phonic system of teaching the student knows the sounds of the individual consonants and vowels and reads every one of them. The word שלום in the phonic system has five components, three consonants and two vowels. As the eye moves across the word, it stops five times. These stops are called fixations. Fixations are what produce the piece-meal reader. The **I-A** Method of teaching syllables reduces the number of eye fixations into two units for the word שלום : שָׁ and לוֹם, and thereby molds a more natural reading style. While there are five stops in the regular method, there are two in the **I-A Method.**

I-A EXERCISE -SECTION

Directly under the "Gestalt" article we find the I-A section. Notice how we highlight the components of the Gestalt word. At first we utilize individual syllables, and then advance to compound units.

The exercises in this section are based on the substitution principle. Initially we start with single syllables and substitute vowels and consonants, then we build up to compound syllables and utilize the same substitutive principle.

By keeping one part of each syllable constant, we set up a reading rhythm. Then as the student reads a line, he acquires the beat and finds himself reading in a natural style.

RECORDINGS

Retention and recall, as we discussed previously, depend on frequency and recency. With a six-day Sabbatical between sessions, it is no wonder that little progress is made. The usual way of correcting this fault is to give home study assignments. Unfortunately for beginners you cannot assign pronounciation, intonation and fluency for home study. The student must have strict supervision, otherwise he may find himself mispronouncing, placing the emphasis on the wrong syllable, and in general reading artificially.

To solve this problem we have provided recordings of the Rhythm Reading sections. Each lesson is approximately a minute and a half in duration, and all the student has to do is repeat after the announcer, keeping his finger on each word, and following the flow of the syllables. Thus the student forms a word-sound relationship. He sees the word, he hears the word, he says the word.

In this way we have extended the influence of the teacher to the home during the weekly Sabbatical. Refresher lessons during the week will greatly increase the efficiency, fluency and learning capacity of the student.

RHYTHM READING

From the I-A section, the student advances to the Rhythm Reading unit. Here too we utilize substitution drills to develop a natural reading style. In this section we drill the student in more complicated word forms.

The eye scans the first word in each line and picks up the syllable in a series of fixations. Then the student sounds the word with some hesitation. Now, as the eye advances to the new word, it automatically recognizes the common syllable unit, records it, makes a substitution and sounds it out much faster than the previous word. As the student advances down the line, his reading reflex reaction time speeds up, and he finds himself reading faster and effortlessly.

SIDDUR READING

The last section of each lesson is entitled Siddur Reading. So many texts train the student to read the reader, and yet when the student is given a Siddur, he or she is lost. Here we provide actual words, phrases and sentences from the Siddur, so as to minimize the gap when the student is upgraded to his prayerbook.

LOOK-ALIKE—SOUND-ALIKE

The look-alike and sound-alike letters have always been confusing to the beginning student. Accordingly we have provided a special section to drill the students in these confusing picture-sound relationships.

SIDDUR SELECTIONS

The last unit of the text is entitled Siddur Selections. Here we provide actual units from the Siddur.

———

The text can be completed in one year's work. There are 36 lessons plus the supplementary material. For maximum cumulative effect each lesson should be completed in one period.

It is our hope that our book will make the teaching of Siddur reading pleasant and productive. There is a free teacher's guide available from the publisher.

THE HEBREW ALPHABET

SFARDI NAME SOUND	ASHKENAZI NAME SOUND	NUMERICAL FORM	BLOCK FORM	SCRIPT FORM	HEBREW NAME	LETTER
Alef silent	Alef silent	1	א	א	אָלֶף	א
Bet B	Bays B	2	בּ	בּ	בֵּית	בּ
Vet V	Vays V		ב	ב	בֵית	ב
Gimel G(get)	Gimel G(get)	3	ג	ג	גִּמֶל	ג
Dalet D	Dalet D	4	ד	ד	דָלֶת	ד
Hay H	Hay H	5	ה	ה	הֵא	ה
Vav V	Vov V	6	ו	ו	וָו	ו
Zayin Z	Zayin Z	7	ז	ז	זַיִן	ז
Ḥet Ḥ	Ḥess Ḥ	8	ח	ח	חֵית	ח
Tet T	Tess T	9	ט	ט	טֵית	ט
Yod Y	Yood Y	10	י	י	יוֹד	י
Kaf K	Kaf K	20	כּ	כּ	כָּף	כּ
Haf Ḥ	Huf Ḥ		כ	כ	כָף	כ
final Haf Ḥ	final Huf Ḥ		ך	ך	כָף סוֹפִית	ך
Lamed L	Lamed L	30	ל	ל	לָמֶד	ל
Mem M	Mem M	40	מ	מ	מֵם	מ

Ḥ is like ch in challah

SFARDI NAME SOUND	ASHKENAZI NAME SOUND	NUMERICAL FORM	BLOCK FORM	SCRIPT FORM	HEBREW NAME	LETTER
final Mem M	final Mem M	ם	ם	ם	מֵם סוֹפִית	ם
Nun N	Nun N	50	נ	נ	נוּן	נ
final Nun N	final Nun N		ן	ן	נוּן סוֹפִית	ן
Sameh S	Sameh S	60	ס	ס	סָמֶךְ	ס
Ayin silent	Ayin silent	70	ע	ע	עַיִן	ע
Pay P	Pay P	80	פּ	פּ	פֵּא	פּ
Fay F	Fay F		פ	פ	פֵא	פ
final Fay F	final Fay F		ף	ף	פֵא סוֹפִית	ף
Tzadee TZ	Tzadee TZ	90	צ	צ	צַדִי	צ
final Tzadee TZ	final Tzadee TZ		ץ	ץ	צַדִי סוֹפִית	ץ
Kof K	Koof K	100	ק	ק	קוֹף	ק
Resh R	Resh R	200	ר	ר	רֵישׁ	ר
Shin SH	Shin SH	300	שׁ	שׁ	שִׁין	שׁ
Sin S	Sin S		שׂ	שׂ	שִׂין	שׂ
Tav T	Tov T	400	תּ	תּ	תָּו	תּ
Tav T	Sov S		ת	ת	תָו	ת

Ḥ is like ch in challah

THE VOWELS

Sfardi	Ashkenazi	HEBREW NAME	VOWELS
A as in father	AW	קָמַץ	ָ
A as in father	A as in father	פַּתַח	ַ
I as in sit	I as in sit	חִירִק	ִ

Sfardi	Ashkenazi	HEBREW NAME	VOWELS
A as in bay	A as in bay	צֵירֶה	ֵ
E as in wet	E as in wet	סֶגוֹל	ֶ
O as in for	O as in no	חוֹלָם	וֹ

Sfardi	Ashkenazi	HEBREW NAME	VOWELS
OO	OO	קֻבּוּץ	ֻ
OO	OO	שׁוּרֶק	וּ
Silent	Silent	שְׁוָא	ְ

ה Has the sound of H	ד Has the sound of D	ג Has the sound of G	ב Has the sound of V	בּ Has the sound of B	א Silent letter
כּ Has the sound of K	י Has the sound of Y	ט Has the sound of T	ח Has the sound of Ḥ	ז Has the sound of Z	ו Has the sound of V
נ Has the sound of N	ם Has the sound of M At the end of a word	מ Has the sound of M	ל Has the sound of L	ך Has the sound of Ḥ At the end of a word	כ Has the sound of Ḥ
ף Has the sound of F At the end of a word	פ Has the sound of F	פּ Has the sound of P	ע Silent letter	ס Has the sound of S	ן Has the sound of N At the end of a word
שׂ Has the sound of S	שׁ Has the sound of SH	ר Has the sound of R	ק Has the sound of K	ץ Has the sound of TZ At the end of a word	צ Has the sound of TZ
ֶ Has the sound of E as in "bell"	ֵ Has the sound of A (AY)	ַ Has the sound of A as in "father"	ָ Has the sound of A as in tall SFARDI A as in "father"	ת Has the sound of S SFARDI T	תּ Has the sound of T
וֹ Has the sound of O SFARDI as in "for"	ֻ וּ Has the sound of OO as in "moon"	ִ Has the sound of I as in "sit"	ְ Has no sound		

Shalom means "peace." When used as a greeting, it also means "hello," and as a farewell, "goodbye."

The pursuit of **shalom** is one of the highest ideals of Judaism.

שָׁלוֹם

1. שָׁלוֹם – שָׁ

שָׁ לָ שָׁ לָ לָ שָׁ לָ

2. שָׁלוֹם – לוֹ

לוֹ שׁוֹ לוֹ שׁוֹ שׁוֹ לוֹ לוֹ

3. שָׁלוֹם – לוֹם

לוֹם שׁוֹם לוֹם שׁוֹם שׁוֹם

לוֹם לוֹם

4. שָׁלוֹם – לוֹם

לוֹם לוֹשׁ לוֹל לוֹשׁ לוֹל

לוֹל לוֹשׁ

WHOLE WORDS

5. שָׁלוֹם לוֹ שָׁם שָׁלוֹם לוֹ שָׁלוֹם שָׁם

The fourth Commandment (Ex. 20:8-11) states: Remember the **Shabbat** and keep it holy . . .

The **Shabbat** begins every Friday at sundown and ends every Saturday night after dark. In the home it begins with the lighting of the candles. **Shabbat** officially ends with the Havdalah ceremony.

Shabbat is not merely a day of rest and prayer but also a time for every thoughtful Jew to dedicate his thoughts to justice, peace and brotherhood.

שַׁבָּת

.1 שַׁבָּת – שַׁ	שַׁ בַּ תַ לַ שַׁ בַּ תַ
.2 שַׁבָּת – בָּ	בָּ שָׁ תָ לָ שָׁ בָּ תָ
.3 שַׁבָּת – בָּת	בָּת שָׁת תָת לָת שָׁת בָּת תָת
.4 שַׁבָּת – בָּת	בָּת בָּשׁ בָּל בָּת בָּל בָּשׁ בָּת

WHOLE WORDS

.5 שַׁבָּת שַׁבַּת שָׁלוֹם שָׁת שָׁלוֹם לוֹ בּוֹ

.6 לוֹ שָׁלוֹם שָׁם שַׁבָּת שַׁבַּת בַּת בּוֹ

Moshe means "taken from the water." The Egyptians ordered all newborn Hebrew boys to be killed. To save their son, the parents of **Moshe** set him afloat on the river Nile in a waterproof cradle. There the daughter of Pharaoh found him and raised him as a prince of Egypt.

Moshe never forgot his people. He freed the Israelites from Egypt and led them through the desert to Mount Sinai, where God gave them the Ten Commandments.

Moshe was the greatest leader the Jews ever had.

מֹשֶׁה

1. מֹשֶׁה – מֹ

מֹ שׁ בֹּ תֹ לֹ מֹ שׁ

2. מֹשֶׁה – שֶׁ

שֶׁ מֶ בֶּ תֶ לֶ מֶ שֶׁ

3. מֹשֶׁה – שֶׁה

שֶׁה מֶה בֶּה תֶה לֶה מֶה שֶׁה

4. מֹשֶׁה – שֶׁה

שֶׁה שֶׁל שֶׁת שֶׁם שֶׁשׁ שֶׁם שֶׁל

WHOLE WORDS

5. מֹשֶׁה שֶׁל שֶׁם שָׁם שָׁת שָׁלוֹם לוֹ בּוֹ

6. בַּת שַׁבַּת שַׁבָּת שַׁבַּת שָׁלוֹם שָׁם שֶׁם

7. מֶה לָמֶה בַּמֶּה לָמֶה בַּמֶּה

אֱמֶת

Emet means *"truth."* Respect for the feelings of others demands that we constantly speak the **emet** and keep clear of lying and deception, no matter how slight.

The Bible tells us: "You shall not deal falsely, nor lie to one another."

Emet is one of the basic pillars of Judaism.

1. אֱמֶת – אֶ	אֶ מֶ תֶ בֶּ שֶׁ לֶ
2. אֱמֶת – מֶ	מֶ אֶ תֶ לֶ בֶּ שֶׁ
3. אֱמֶת – אֱמֶ	אֱמֶ אֱתֶ אֱשֶׁ אֱלֶ
4. אֱמֶת – מֶת	מֶת אֶת תֶת לֶת בֶּת שֶׁת
5. אֱמֶת – מֶת	מֶת מֶשׁ מֶל מֶם מֶת

RHYTHM READING

1.	אֱמֶת	אֱמֶשׁ	שֶׁמֶשׁ	אֱמֶת
2.	משֶׁה	מָשָׁה	לָשָׁה	לָשׁ
3.	שָׁם	אָשָׁם	אָשַׁם	שָׁם
4.	מָה	אָמָה	אַמָה	אַמַת
5.	אָלָה	בָּלָה	בָּמָה	שָׁמָה

Adam means "man." The Torah tells us that **Adam** was the first man created by God. **Adam** and his wife Eve lived happily in the Garden of Eden until they ate the forbidden fruit.

Because of their sin, **Adam** and Eve were banished from the Garden of Eden. From that time on, Adam and all his descendants were forced to work hard for their daily bread.

אָדָם

1. אָדָם – אָ

אָ דָ מָ תָ בָּ שָׁ לָ

2. אָדָם – דָ

דָ אָ לָ שָׁ תָ בָּ מָ

3. אָדָם – דָם

דָם אָם לָם שָׁם תָם בָּם מָם

4. אָדָם – דָם

דָם דָת דָשׁ דָל דָת דָשׁ דָל

RHYTHM READING

.1	אָדָם	אָשָׁם	דָתָם	אָדָם
.2	דָם	שָׁם	בָּם	תָם
.3	דָשׁ	מָשׁ	לָשׁ	דָשׁ
.4	בּוֹ	לוֹ	שֵׁלוֹ	אוֹ
.5	שָׁת	דָת	דַת	בַּת
.6	שָׁלוֹם	שַׁבָּת	שַׁבַּת	שָׁלוֹם

אֲדֹנָי

Adonai means "God." There are many names for God mentioned in the Torah. One of these names, the יְהֹוָה which appears over 7,000 times in the Bible, is never pronounced. This holy name of God is always read as **"Adonai."**

There are many things we do not know about **Adonai.** But we do know that He is everywhere, that He is good and that He loves us all.

.1 אֲדֹנָי – אַ	אַ דַ נַ מַ תַ שַׁ בַּ לַ
.2 אֲדֹנָי – דֹ	דֹ אֹ נֹ מֹ תֹ שֹׁ בֹּ לֹ
.3 אֲדֹנָי – אֲדֹ	אֲדֹ אֲנֹ אֲמֹ אֲתֹ אֲשׁ אֲלֹ
.4 אֲדֹנָי – נָ	נָ אָ דָ מָ תָ שָׁ בָּ לָ
.5 אֲדֹנָי – נָי	נָי אָי דָי מָי תָי שָׁי בָּי לָי
.6 אֲדֹנָי – נָי	נָי נָד נָת נָל נָשׁ נָם נָא

RHYTHM READING

1. אֲדֹנָי בָּנָי נָשָׁי בָּנָי
2. בּוֹנֶה מוֹנֶה שׁוֹנֶה תוֹנֶה
3. בָּנָה מָנָה שָׁנָה אָנָה
4. נָם נָמָה דָם דָמָה
5. שָׁלוֹם אָדוֹם אָדָם אָשָׁם
6. מָשׁ מָשָׁה מָשָׁל מָשָׁלָה
7. נָם נָמָה נָמָל בַּנָמָל
8. אֲדֹנָי אֲדָמָה אֲמָנָה אֲמָתוֹ

SIDDUR WORDS

9. אֲדֹנָי אֲדָמָה אֱמֶת בֶּאֱמֶת
10. שַׁבָּת שַׁבַּת שָׁלוֹם שָׁם
11. דוֹמֶה נוֹדֶה אוֹת אוֹתוֹת

The **menorah** is one of the most important symbols in Judaism. Originally the **menorah** was a seven-branched golden candelabra which stood in the Tabernacle, and later in the Temple in Jerusalem.

During the holiday of Hanukkah we use an eight-branched **menorah,** with a ninth branch called *shammos.* The Hanukkah **menorah** symbolizes the miracle of a jug of oil which burned for eight days and nights.

The **menorah** is also the symbol of the State of Israel.

מְנוֹרָה

1. מְנוֹרָה – מְ

מְ דְ נְ תְ רְ שְׁ בְּ לְ

2. מְנוֹרָה – נוֹ

נוֹ דוֹ מוֹ תוֹ רוֹ שׁוֹ בּוֹ אוֹ

3. מְנוֹרָה – רָ

רָ דָ מָ תָ לָ שָׁ בָּ אָ

4. מְנוֹרָה – רָה

רָה דָה מָה תָה לָה שָׁה

5. מְנוֹרָה – רָה

רָה רָד רָם רָת רָל רָ

6. מְנוֹרָה – נוֹרָה

נוֹרָה תּוֹרָה שׁוֹרָה אוֹרָה

מוֹרָה בּוֹרָה

7. מְנוֹרָה – נוֹרָה

נוֹרָה נוֹשָׁה נוֹדָה נוֹלָה

נוֹמָה נוֹאָה

RHYTHM READING

1. מְנוֹרָה מְדוֹרָה מְרוֹרָה מְנוֹרָה
2. מוֹרָה אוֹרָה תוֹרָה בּוֹרָה
3. מוֹרֶה מוֹדֶה נוֹדֶה נוֹרֶה
4. תוֹרָה תוֹדָה מוֹדָה מוֹרָה
5. רוֹדֶה בּוֹדֶה תוֹדֶה אוֹדֶה
6. מוֹנֶה תוֹנֶה שׁוֹנֶה בּוֹנֶה
7. בּוֹנֶה בּוֹנָה שׁוֹנֶה שׁוֹנָה
8. רָם דָם שָׁם כָּם רָם
9. נָם שָׁם תָם דָם רָם
10. שָׁם אָשָׁם דָם אָדָם דָם

SIDDUR WORDS

11. נוֹרָא נוֹדֶה דוֹמֶה דוֹר
12. דוֹר לְדוֹר אוֹת לְאוֹת
13. אֲדֹנָי אֲשֶׁר אֱמֶת בֶּאֱמֶת
14. בָּה רַבָּה שַׁבָּת שַׁבַּת

תּוֹרָה

Torah means "learning," "teaching" and "law." The **Torah** is a special handwritten parchment scroll containing the Five Books of Moses.

The **Torah** contains the history of the birth of the Jewish people and the basic laws by which they were to live.

Every Shabbat and holiday a portion of the **Torah** is read in the synagogue. These portions are called Sidrot.

Our rabbis tell us that Judaism is based on three pillars: **Torah,** worship and deeds of lovingkindness.

1. תּוֹרָה – תּוֹ

תּוֹ תוֹ דוֹ מוֹ שׁוֹ נוֹ רוֹ אוֹ לוֹ
בּוֹ

2. תּוֹרָה – תּוֹ

תּוֹ תּ תָּ תַּ תֶּ תָּ תּ תֹּ

3. תּוֹרָה – רָ

רָ דָ מָ נָ תָּ תָ שָׁ בָּ לָ אָ

4. תּוֹרָה – רָה

רָה רָד רָם רָת רָשׁ רָל רָר
רָא

5. תּוֹרָה – רָה

רָה דָה תָּה תָה שָׁה מָה נָה
לָה אָה בָּה

RHYTHM READING

1. תּוֹרָה אוֹרָה מוֹרָה תּוֹרָה
2. תּוֹדָה מוֹדָה דוֹדָה תּוֹדָה
3. תּוֹדֶה מוֹדֶה אוֹדֶה נוֹדֶה
4. מוֹדֶה מוֹרֶה מוֹרָה מוֹדָה
5. דוֹדָה דוֹרָה תּוֹרָה תּוֹדָה
6. תַּמָּה שַׁמָּה שָׁמָּה רָמָה
7. תָּלָה בָּלָה אָלָה דָּלָה
8. תָּמָר אָמָר אָמַר שָׁמַר
9. דָּרוֹם בָּרוֹם מָרוֹם דָּרוֹם

SIDDUR WORDS

10. אַתָּה אַתֶּם תּוֹרָה תּוֹרָתוֹ
11. תּוֹרַת מֹשֶׁה תּוֹרַת אֱמֶת
12. אֶת אוֹת לְאוֹת אוֹתוֹת
13. תּוֹרָה בַּתּוֹרָה מָרוֹם בַּמָּרוֹם
14. תּוֹרָה נוֹרָא נוֹדֶה מוֹדֶה

תְפִּלָה

Tefilah means "prayer." **Tefilah** is a way of talking to God, directing our attention to Him and His power.

A Jew can pray anywhere he finds himself, but it is preferable to pray with a group of ten men or more (minyan).

There are three **tefilah** services on weekdays, four on Shabbat and festivals and five on Yom Kippur.

.1 תְפִּלָה – תְ

תְ תְ דְ רְ מְ שְׁ לְ בְּ נְ

.2 תְפִּלָה – פִּ

פִּ תִ דִ רִ מִ שִׁ לִ בִּ נִ אִ

.3 תְפִּלָה – תְפִּ

תְפִּ תְרִ תְלִ תְנִ תְמִ

.4 תְפִּלָה – לָ

לָ פָּ נָ דָ רָ תָ תָ שָׁ בָּ אָ

.5 תְפִּלָה – לָה

לָה פָּה נָה דָה רָה תָה
תָה שָׁה בָּה אָה

.6 תְפִּלָה – לָה

לָה לָד לָת לָשׁ לָר לָל
לָם

.7 תְפִּלָה – פִּלָה

פִּלָה תִלָה בִּלָה דִלָה
רִלָה נִלָה

RHYTHM READING

1. תְּפִלָה מִלָה תִּלָה בִּלָה
2. רָפָה נָפָה שָׁפָה אָפָה
3. שָׁפָל נָפָל נָפַל תָּפַל
4. תָּפַר שָׁפַר שָׁפַת לָפַת
5. שׁוֹפָר שָׁפַר שָׁפָל שָׁלָל
6. רֶפֶת רֶפֶשׁ נֶפֶשׁ נֹפֶשׁ
7. נֹפֶשׁ נֹפֶת תֹּפֶת לֶפֶת
8. שָׁלוֹם שָׁלֹשׁ שָׁלָה שָׁלָל

SIDDUR WORDS

9. שָׁלוֹם בַּשָׁלוֹם שַׁבָּת שַׁבַּת
10. אוֹת אוֹתוֹת תּוֹרָה תּוֹרַת
11. תּוֹרַת אֱמֶת תּוֹרַת מֹשֶׁה
12. דּוֹר לְדוֹר אוֹת לְאוֹת
13. אַתָּה שָׁאַתָּה פֶּלֶא נֶפֶשׁ

תְּשׁוּבָה

Teshuvah means "return" or "repentance." People who have done something wrong and are sorry, may "return" and do **teshuvah.**

A true act of **teshuvah** demands two things. It demands that we feel truly sorry for the wrong which we have committed, and that we promise to do better in the future. If it is a person whom we have wronged, we must right that wrong.

The major theme of Rosh Hashanah and Yom Kippur centers around **teshuvah.**

.1 תְּשׁוּבָה – תְּ

תְּ תְ דְ רְ בְּ פְּ שְׁ לְ נְ מְ

.2 תְּשׁוּבָה – שׁוּ

שׁוּ תוּ דוּ רוּ בּוּ פּוּ תוּ

.3 תְּשׁוּבָה – תְּשׁוּ

תְּשׁוּ תְּרוּ תְּלוּ תְּנוּ תְּפוּ

.4 תְּשׁוּבָה – בָ

בָ בָּ תָ תָּ נָ דָ רָ פָ שָׁ לָ

.5 תְּשׁוּבָה – בָה

בָה בָּה תָה תָּה נָה דָה

רָה פָּה שָׁה לָה אָה מָה

.6 תְּשׁוּבָה – בָה

בָה בָם בָד בָת בָשׁ בָר

.7 תְּשׁוּבָה – שׁוּבָה

שׁוּבָה נוּבָה לוּבָה

רוּבָה מוּבָה דוּבָה

RHYTHM READING

1. תְשׁוּבָה תְנוּבָה שְׁלוּבָה נְבוּבָה
2. בָה שָׁבָה לָה תָלָה
3. מָה בָּמָה בָּה רַבָּה
4. שָׁבַר שָׁפַר שָׁשַׁר שָׁאַר
5. נָבָל נָפָל נָמָל נָדָל
6. בָּאוּ בָאוּ אָבוּ רָבוּ
7. אָבָדוּ שָׁאָלוּ שָׁבָתוּ שָׁבָרוּ
8. בָּנוּ בָנוּ דָנוּ לָנוּ
9. בָּם בָם רָם שָׁם דָם

SIDDUR WORDS

10. שַׁבָּת שַׁבַּת שָׁבַת שָׁלוֹם
11. אַתָּה אָתָה אוֹת אָבוֹת
12. דוֹר דוֹרוֹת דוֹרוֹתָם לְדוֹרוֹתָם
13. נוֹדֶה נוֹרָא תּוֹרָה תּוֹרַת
14. לָנוּ בָּנוּ בָנוּ אָנוּ

Ahavah means "love." The Torah commands us "Thou shalt love thy neighbor as thyself."

This command is based on the Jewish teaching of the brotherhood of man. Judaism tells us that we are all the children of one Creator. As children of one divine family we must show our **ahavah** by helping people who are in need.

Charity, visiting the sick, comforting mourners, helping people willingly are deeds of **ahavah.**

אַהֲבָה

1. אַהֲבָה – אַ

אַ תַּ תַ בַּ בַ נַ דַ רַ לַ שַׁ

2. אַהֲבָה – הַ

הַ דַ אַ תַּ תַ בַּ בַ נַ שַׁ פַ

3. אַהֲבָה – בָ

בָ דָ אָ תָּ תָ בָּ בָ נָ שָׁ פָ

4. אַהֲבָה – בָה

בָה בָּה הָה לָה פָּה שָׁה

תָּה תָה נָה מָה

5. אַהֲבָה – בָה

בָה בָם בָת בָד בָל בָשׁ

6. אַהֲבָה – הֲבָה

הֲבָה הֲהָה הֲלָה הֲרָה

RHYTHM READING

1. אַהֲבָה לֶהָבָה לְבָבָה נְדָבָה
2. הָבָה שָׁבָה אָבָה רָבָה
3. הָדָר הָהָר נָהָר נָבָר
4. רָם הָרָם תָּם הַתָּם
5. נוֹרָה שׁוּרָה שָׂרָה הָרָה
6. הוֹרָה מוֹרָה תּוֹרָה אוֹרָה
7. בַּת הַבַּת שַׁבַּת שַׁבָּת
8. בּוֹנֶה הַבּוֹנֶה שׁוֹנֶה הַשּׁוֹנֶה
9. אוֹפֶה הָאוֹפֶה אֹפֶל הָאֹפֶל

SIDDUR WORDS

10. הָבוּ הוֹדוּ הוֹדוֹת לְהוֹדוֹת
11. תְּפִלָּה תְּפִלּוֹת תְּהִלָּה תְּהִלּוֹת
12. אַהֲבָה בְּאַהֲבָה אַהֲבַת שַׁבָּת
13. אָהַב אָהַבְתָּ אוֹהֵב אַהֲבָה
14. אוֹת לְאוֹת אוֹתוֹת אוֹרוֹת

עִבְרִי

Ivri means "Hebrew." Today the name **Ivri** is applied historically to the Jews from the time of Abraham to the conquest of Palestine under Joshua.

Ivri comes from the word **avar** which means to "pass over." This refers to the time Abraham passed over the river Euphrates and entered into the land of Canaan.

The Hebrew language is called **Ivrit.**

.1 עִבְרִי – עִ

עִ אִ תִּ תִ בִּ בִ דִ רִ שִׁ פִּ
מִ הִ

.2 עִבְרִי – עִבְ

עִבְ אִבְ תִּבְ תִבְ בִּבְ בִבְ דִבְ
רִבְ שִׁבְ מִבְ הִבְ

.3 עִבְרִי – עִבְ

עִבְ עִתְ עִדְ עִרְ עִשְׁ עִם

.4 עִבְרִי – רִי

רִי בִּי בִי מִי דִי תִּי
תִי לִי פִּי עִי

RHYTHM READING

1. עִבְרִי שִׁבְרִי דִבְרִי עִבְרִי
2. עַל אַל בַּל דַל שַׁל
3. עָם נָם רָם שָׁם תָּת בָּם
4. עַד עָדַי עַל עָלַי עָר עָרַי
5. עָלַי אוּלַי עוֹלָם עוֹרָם
6. עָבַד עָמַד אָמַד אָבַד
7. עִיר שִׁיר דִיר רִיר עִיר
8. עֶלֶם תֶּלֶם בֶּלֶם עֶלֶם
9. עָבַר שָׁבַר שָׁבָר דָבָר

SIDDUR WORDS

10. עָנוּ בָּנוּ בָנוּ לָנוּ אָנוּ
11. עוֹלָם לְעוֹלָם הָעוֹלָם לְעוֹלָם
12. עַם עַמוֹ לְעַמוֹ עַד לָעַד
13. אֱמֶת בֶּאֱמֶת אֱמוּנָה בֶּאֱמוּנָה
14. שְׁמַע שְׁבִיעִי הַשְּׁבִיעִי הַשַּׁבָּת

A **beraḥah** is a blessing or benediction. The prayers of praise and thanks were, according to the Talmud, established by the teachers of the Great Synagogue.

"Blessed art Thou, O Lord," is a part of every **beraḥah.**

There are four different kinds of **beraḥot:** 1. **beraḥot** of thanks for food and drink; 2. **beraḥot** upon the performance of a commandment; 3. **beraḥot** of praise and thanks; 4. **beraḥot** forming part of a larger prayer.

בְּרָכָה

1. בְּרָכָה – בְּ

בְּ בְ דְ רְ לְ מְ נְ פְּ תְּ תְ שְׁ

2. בְּרָכָה – רָ

רָ דָ אָ בָּ בָ הָ עָ מָ נָ עָ תָּ

תָ שָׁ

3. בְּרָכָה – בְּרָ

בְּרָ בְּדָ בְּהָ בְּעָ בְּאָ

בְּבָ בְּפָ בְּלָ בְּנָ בְּמָ

4. בְּרָכָה – כָה

כָה שָׁה לָה בָּה בָה

תָּה תָה פָה עָה אָה

5. בְּרָכָה – כָה

כָה כָב כָד כָר כָל

כָת כָשׁ כָא כָע כָם

RHYTHM READING

1. בְּרָכָה בָּכָה דָכָה נָכָה
2. מִיכָה בוֹכָה תּוֹכָה כָמוֹכָה
3. הָלָכוּ דָרָכוּ מָשָׁכוּ מָלָכוּ
4. הָלְכָה דָרְכָה מָשְׁכָה מָלְכָה
5. מְלוּכָה מְבוּכָה מְשׁוּכָה מְדוּכָה
6. שְׁכוּנָה תְּכוּנָה תְּכוּלָה שְׁכוּלָה
7. בְּכוֹרָה מְכוֹרָה מְנוֹרָה מְרוֹרָה
8. הֲכָנָה הֲבָנָה הֲשָׁנָה הֲמָנָה
9. עוֹנָה מוֹנָה מְכוֹנָה נְכוֹנָה

SIDDUR PHRASES

10. כְבוֹד מַלְכוּתוֹ לְכוּ נֵלְכָה
11. אָנֹכִי אֲדֹנָי מִי כָמוֹכָה
12. מַעֲרִיב עֲרָבִים. מְשַׁנֶּה עִתִּים.
13. אַהֲבָה רַבָּה. אַתָּה אֲדֹנָי.

Baruḥ means "blessed." Every **beraḥah** begins with the word **baruḥ.**

Our rabbis tell us that, when God began to create the world, all the letters competed for honors. One letter wanted to be the first letter in Creation, another wanted to be included in God's Name, and so on. The letter Bet did not ask for special favors.

God was so pleased with the letter Bet that he made it the first letter in the Torah and also the first letter in every blessing—**baruḥ.**

בָּרוּךְ

.1 בָּרוּךְ – בָּ

בָּ בָ תָּ תָ מָ נָ פָ

דָ רָ לָ אָ עָ שָׁ הָ

.2 בָּרוּךְ – רוּ

רוּ דוּ מוּ עוּ אוּ שׁוּ תוּ

תּוּ בּוּ בוּ לוּ כוּ פוּ נוּ

.3 בָּרוּךְ – רוּךְ

רוּךְ שׁוּךְ מוּךְ דוּךְ לוּךְ

נוּךְ תּוּךְ תוּךְ בּוּךְ בוּךְ

.4 בָּרוּךְ – בָּרוּ

בָּרוּ שָׁרוּ תָּרוּ עָרוּ אָרוּ

מָרוּ דָרוּ שָׁרוּ נָרוּ הָרוּ

.5 בָּרוּךְ – בָּרוּ

בָּרוּ בָּנוּ בָּדוּ בָּאוּ בָּלוּ

RHYTHM READING

1. בָּרוּךְ   עָרוּךְ   אָרוּךְ   דָרוּךְ

2. עָרַךְ   דָרַךְ   אָרַךְ   הָרַךְ

3. דֶרֶךְ   בֶּרֶךְ   אֶרֶךְ   עֶרֶךְ

4. בָּרוּךְ   בְּרוּכָה   דָרוּךְ   דְרוּכָה

5. בְּרָכָה   בָּכָה   בּוֹכָה   מִיכָה

6. תְּפִלָה   תְּהִלָה   מִלָה   תִּלָה

7. תְּשׁוּבָה   תְּנוּבָה   תְּנוּפָה   תְּרוּפָה

8. תּוֹךְ   מוֹךְ   תּוֹךְ   רֹךְ   תּוֹךְ

9. לְךְ   שֶׁלְךְ   בְּךְ   שֶׁבְּךְ

SIDDUR PHRASES

10. בָּרוּךְ אַתָּה אֲדֹנָי אֱלֹהִים.

11. בָּרְכוּ אֶת אֲדֹנָי הַמְבֹרָךְ.

12. לְכָה דוֹדִי. בְּרִית עוֹלָם.

13. מֶלֶךְ הָעוֹלָם. אַהֲבַת עוֹלָם.

14. נוֹדֶה לְךְ. אֶת עַמְךְ.

Sarah was the first of the Four Mothers of Israel. The other Mothers were: Rebecca, Rachel, Leah.

Abraham married **Sarah,** and very late in life she gave birth to a son named Isaac.

When **Sarah** died, Abraham buried her in the cave of Machpelah.

Our rabbis tell us that as long as **Sarah** lived, heavenly rays of light surrounded her tent, and when she died, the light disappeared.

שָׂרָה

.1 שָׂרָה – שָׂ

שָׂ שָׁ תָּ תָ בָּ בָ

נָ פָּ דָ אָ עָ הָ

.2 שָׂרָה – רָ

רָ שָׁ שָׂ לָ מָ נָ

כָ הָ בָ פָּ דָ אָ

.3 שָׂרָה – רָה

רָה שָׁה שָׂה תָה לָה

דָה אָה עָה פָּה כָה

.4 שָׂרָה – רָה

רָה רָע רָא רָשׁ רָשׂ

רָל רָר רָב רָד

RHYTHM READING

דָרָה	פָרָה	שָׁרָה	שָׂרָה	1.
מוֹרָא	נוֹרָא	אוֹרָה	תּוֹרָה	2.
שָׁמָה	שָׁם	שָׁמָה	שָׁם	3.
שְׁמַע	מַה	שְׁמָה	מָה	4.
בְּכוֹרָה	בְּשׂוֹרָה	בָּשָׂר	עָשָׂר	5.
עָנִינוּ	עָנָה	עָשִׂינוּ	עָשָׂה	6.
אָבִינוּ	אָבָה	עָלִינוּ	עָלָה	7.
נָעִים	עִם	אָשִׂים	שִׂים	8.
שִׁמְךָ	שִׁמְךָ	שָׁמְךָ	שָׁם	9.

SIDDUR PHRASES

10. בָּרוּךְ אַתָּה אֲדֹנָי אֱלֹהֵינוּ.

11. עוֹשֶׂה שָׁלוֹם. נוֹדֶה לְךָ.

12. שִׂים שָׁלוֹם. שַׁבַּת שָׁלוֹם.

13. אַהֲבַת עוֹלָם. עַל לְבָבֶךָ.

14. לְךָ עָנוּ שִׁירָה רַבָּה.

27

יִשְׂרָאֵל

Yisrael means "Champion of God." God changed Jacob's name to **Yisrael** when he wrestled with an angel. From that time on the Hebrews, Jacob's descendants, were called the Children of **Yisrael.**

Yisrael was also the name of the first kingdom of the Hebrew people. After the division, the northern kingdom was called **Yisrael.** It continued until 722 B.C.E., when the Assyrians defeated King Hoshea.

In the year 1948, **Yisrael** once more was reestablished as the Jewish State.

1. יִשְׂרָאֵל – יִ

יִ אִ עִ הִ דִ לִ

2. יִשְׂרָאֵל – יִשְׂ

יִשְׂ בִּשְׂ תִּשְׂ הִשְׂ אִשְׂ

3. יִשְׂרָאֵל – רָ

רָ כָ אָ עָ יָ תָ

תָּ שָׁ שָׂ לָ הָ פָּ

4. יִשְׂרָאֵל – אֵ

אֵ יֵ עֵ הֵ כֵ רֵ

5. יִשְׂרָאֵל – אֵל

אֵל אֵת אֵד אֵר אֵב

אֵם אֵשׁ אֵשׂ אֵה אֵי

6. יִשְׂרָאֵל – אֵל

אֵל בֵּל הֵל יֵל כֵּל

לֵל מֵל נֵל עֵל פֵּל

RHYTHM READING

1. יִשְׂרָאֵל הָאֵל לָאֵל כָּאֵל
2. יוֹאֵל שׁוֹאֵל פּוֹעֵל מוֹעֵל
3. לַיִשׁ תַּיִשׁ שַׁיִשׁ שַׁיִת
4. מַיִם שָׁמַיִם בַּמַיִם לַמַיִם
5. יֵשׁ שֵׁשׁ רֵשׁ אֵשׁ
6. יָד יָדַי יָדַיִם הַיָדַיִם
7. עַל עָלַי אֶל אֵלַי
8. אַיָה אַיֵה דַיָה הָיָה
9. יוֹם הַיוֹם הֲדוֹם הֲלוֹם

SIDDUR PHRASES

10. שְׁמַע יִשְׂרָאֵל. אֲדֹנָי אֱלֹהֵינוּ.
11. בָּרוּךְ שֵׁם. בָּרוּךְ אַתָּה.
12. לִפְנֵי מֶלֶךְ מַלְכֵי הַמְּלָכִים.
13. בָּרְכוּ אֶת אֲדֹנָי הַמְבֹרָךְ.
14. בָּרוּךְ אֲדֹנָי הַמְבֹרָךְ לְעוֹלָם.

Yerushalayim is situated in the center of the hills of Judea, 2,000 feet high. King David brought the Ark of the Covenant to **Yerushalayim** and made the city the capital of Israel. The First and Second Temple were in **Yerushalayim.**

Today, **Yerushalayim** is divided into two parts. The new city belongs to Israel, and the old city to Jordan.

Yerushalayim is a holy city to the three major faiths, Judaism, Christianity and Mohammedanism.

יְרוּשָׁלַיִם

.1 יְרוּשָׁלַיִם – יְרוּ

יְרוּ יְבוּ יְתוּ יְשׁוּ יְפוּ

.2 יְרוּשָׁלַיִם – שָׁ

שָׁ יָ רָ לָ מָ הָ

.3 יְרוּשָׁלַיִם – לַ

לַ יַ רַ שַׁ שַׁ תַ

.4 יְרוּשָׁלַיִם – יִ

יִ שִׁ שִׁ תִ בִּ בִ

.5 יְרוּשָׁלַיִם – יִם

יִם יִב יִשׁ יִשׁ יִל

.6 יְרוּשָׁלַיִם – יִם

יִם בִּם בִם שִׁם שִׁם

אִם עִם נִם פִּם הִם

.7 יְרוּשָׁלַיִם – לַיִם

לַיִם מַיִם תַיִם נַיִם

יַיִם עַיִם רַיִם דַיִם

RHYTHM READING

1. יְרוּשָׁלַיִם שׁוּלַיִם שָׁמַיִם יָדַיִם
2. שָׁמַיִם שָׁמַע יָדַיִם יָדַע
3. אַיִל לַיִל תַיִל תַיִשׁ
4. עִיר שִׁיר נִיר דִיר
5. שָׂרָה שָׁרָה יָרָה מָרָה
6. מוֹרָשָׁה דְרָשָׁה דְרוּשָׁה יְרוּשָׁה
7. אֵל אֵלִי אֵלִים בָּאֵלִים
8. בָּרוּךְ עָרוּךְ עָרֹךְ אָרֹךְ
9. שָׁמַר שָׁמַע שְׁמַע שֵׁמַע

SIDDUR PHRASES

10. אֵל מֶלֶךְ. שׁוֹמֵר עַמוֹ.
11. מֶלֶךְ מֵמִית. בְּרִית עוֹלָם.
12. אֱלֹהֵי עוֹלָם. אֱלֹהֵי אַבְרָהָם.
13. מִי כָמֹכָה בָּאֵלִים אֲדֹנָי.
14. לְכָה דוֹדִי. שִׁיר דַבֵּרִי.

חַלָה

Ḥallah in the Torah referred to a special bread tax taken to feed the priests. The rabbis taught that a housekeeper was to donate one out of twenty-four loaves she baked, and a breadmaker was to give one out of forty-eight to the priests.

Today **Ḥallah** refers to the twisted loaves of white bread which grace our Shabbat and holiday table.

1. חַלָה – חַ

חַ כַ בַּ בַ תַּ תַ

שַׁ שַׂ אַ עַ דַ נַ

2. חַלָה – לָ

לָ מָ יָ רָ פָ נָ

הָ כָ שָׁ דָ תָ אָ

3. חַלָה – לָה

לָה לָד לָב לָת לָשׁ

לָא לָל לָח לָשׁ לָי

4. חַלָה – לָה

לָה בָּה בָה דָה הָה

חָה יָה כָה מָה נָה

RHYTHM READING

1. חַלָה אַלָה דַלָה הַלָה
2. נָחָה שָׁחָה בָּכָה דָכָה
3. מְנוּחָה מְתוּחָה מְלוּחָה מְרוּחָה
4. בְּרָכָה שְׁבָחָה שְׂמָחָה אֲנָחָה
5. חָלָה תָּלָה עָלָה אָלָה
6. חַי חַיִים שַׁי שַׁיִם
7. חַד אַחַד אֶחָד אֶחָת
8. שִׂמְחָה נִמְחָה מִנְחָה מִשְׁחָה
9. חֲדָשָׁה עֲדָשָׁה עֲדָשִׁים חֲדָשִׁים

SIDDUR PHRASES

10. שְׁמַע יִשְׂרָאֵל, אֲדֹנָי אֱלֹהֵינוּ,
11. אֲדֹנָי אֶחָד. אֶחָד אֱלֹהֵינוּ.
12. רַחֵם עָלֵינוּ. מְחַל לָנוּ.
13. רְפוּאָה שְׁלֵמָה. שׁוֹמֵעַ תְּפִלָה.
14. אֵל חַי יִמְלֹךְ עָלֵינוּ.

לוּחַ

Luaḥ means "tablet," or "blackboard," or "calendar."

The Ten Commandments are inscribed on two **luḥot** or tablets. The first **luaḥ** contains the first five commandments which describe man's duties to God. The second **luaḥ** contains the last five commandments and describe man's responsibilities to his fellow man.

The Hebrew calendar which is also called **luaḥ,** consists of 12 months in ordinary years and 13 months in leap years. This **luaḥ** is based on the revolutions of the moon.

.1 לוּחַ – לוּ

לוּ שׁוּ שׂוּ תּוּ תוּ

יוּ אוּ עוּ הוּ כוּ

.2 לוּחַ – לוּחַ

לוּחַ דוּחַ שׁוּחַ שׂוּחַ רוּחַ

נוּחַ בּוּחַ פּוּחַ תּוּחַ

RHYTHM READING

1. לוּחַ   רוּחַ   נוּחַ   שׁוּחַ

2. רֵיחַ   יָרֵחַ   אוֹרֵחַ   בּוֹרֵחַ

3. שַׁבֵּחַ   לְשַׁבֵּחַ   שַׂמֵּחַ   לְשַׂמֵּחַ

4. שַׁלֵּחַ   לְשַׁלֵּחַ   בַּדֵּחַ   לְבַדֵּחַ

5. נֹחַ   מָנוֹחַ   מָרֹחַ   מָשֹׁחַ

6. מָשִׁיחַ   מֵנִיחַ   מֵרִיחַ   מֵשִׂיחַ

7. מָשַׁח   מָרַח   מָתַח   מָלַח

8. מָשַׁךְ   מָלַךְ   הָלַךְ   הָפַךְ

9. חַיִּים   חַיֵּי   חַיֶּיךָ   חַיֵּינוּ

SIDDUR PHRASES

10. הֵם חַיֵּינוּ. אֹרֶךְ יָמֵינוּ.

11. מַשִּׁיב הָרוּחַ. שִׁירָה חֲדָשָׁה.

12. אַתָּה אֶחָד. שִׁמְךָ אֶחָד.

13. מְנוּחָה שְׁלֵמָה. מְנוּחַת שָׁלוֹם.

14. עָלֵינוּ לְשַׁבֵּחַ. מִי כָמוֹךָ.

Ḥumash comes from the Hebrew word "five," and is used as the shortened form for the Five Books of Moses.

The five books are: Genesis (Bereshit), Exodus (Shemot), Leviticus (Vayikra), Numbers (Bamidbar), and Deuteronomy (Devarim).

The **Ḥumash** contains the early history of the Jewish people and the basic laws by which they were to live.

חֻמָשׁ

1. חֻמָשׁ – חֻ

חֻ כֻ אֻ עֻ הֻ דֻ

לֻ מֻ נֻ פֻ שֻׁ יֻ

2. חֻמָשׁ – מָ

מָ תָּ תָ שָׁ שָׁ רָ

חָ כָ אָ עָ הָ דָ

3. חֻמָשׁ – מָשׁ

מָשׁ תָּשׁ רָשׁ חָשׁ לָשׁ

עָשׁ דָשׁ יָשׁ אָשׁ נָשׁ

4. חֻמָשׁ – מָשׁ

מָשׁ מָר מָת מָשׁ מָל

מָה מָד מָב מָךְ מָם

RHYTHM READING

1. חָמַשׁ מַמָּשׁ שַׁמָּשׁ חוּמָשׁ
2. חֲבָבָה בְּבָה דְּבָבָה רְבָבָה
3. אֻמָּה תְּמָה דוּמָה נוּמָה
4. מְכֻבָּד מְכֻפָּר מְאֻשָּׁר מְהֻלָּל
5. שְׁמַע שְׁבַע מְנַע תְּשַׁע
6. בָּרוּךְ עָרוּךְ נָשׁוּךְ מָשׁוּךְ
7. מָלַךְ מָלַח מָשַׁח מָשַׁךְ
8. מֶלֶךְ מַלְכֵי מְלָכִים הַמְּלָכִים
9. שִׂיחַ מָשִׁיחַ שׁוּחַ לָשׁוּחַ

SIDDUR PHRASES

10. חַיֵּי עוֹלָם. תּוֹרַת אֱמֶת.
11. הוֹדוּ לוֹ. בָּרְכוּ שְׁמוֹ.
12. הַשָּׂם נַפְשֵׁנוּ בַּחַיִּים. אֲנִי אֲדֹנָי.
13. אֱמֶת אֱלֹהֵי עוֹלָם. מֶלֶךְ הָעוֹלָם.
14. רוֹפֵא חוֹלִים. רְפוּאָה שְׁלֵמָה.

קִדּוּשׁ

Kiddush means "sanctification." This is the blessing which is recited at the beginning of each Shabbat and holiday meal over a cup of wine.

In the synagogue, the **kiddush** is chanted at the close of the Friday evening service.

In the home, the **kiddush** may also be recited over hallah.

.1 קִדּוּשׁ – קִ

קִ דִ רִ שִׁ שִׂ תִ

תִ בִּ בִ פִּ אִ עִ

.2 קִדּוּשׁ – דוּ

דוּ קוּ לוּ מוּ נוּ

יוּ כוּ הוּ דוּ בוּ

.3 קִדּוּשׁ – דוּשׁ

דוּשׁ לוּשׁ מוּשׁ תּוּשׁ אוּשׁ

פּוּשׁ חוּשׁ קוּשׁ רוּשׁ כּוּשׁ

.4 קִדּוּשׁ – דוּשׁ

דוּשׁ דוּר דוּשׁ דוּד דוּת

דוּם דוּךְ דוּל דוּק דוּשׁ

RHYTHM READING

.1	קִדוּשׁ	חִדוּשׁ	חִדֵשׁ	קִדֵשׁ
.2	קָדוֹשׁ	קָרשׁ	קָשׁר	קָשׁשׁ
.3	קַדֵשׁ	מְקַדֵשׁ	חַדֵשׁ	מְחַדֵשׁ
.4	תָּקַע	שָׁקַע	רֶקַע	בֶּקַע
.5	בֹּקֶר	יֹקֶר	יָקָר	בָּקָר
.6	מָקוֹם	מָרוֹם	מָרִים	קָרִים
.7	קָדוֹשׁ	קְדוּשָׁה	קְדֻשָׁה	קְדוֹשָׁה
.8	קַיָם	הַיָם	בַּיָם	לַיָם
.9	לוֹקֵחַ	רוֹקֵחַ	שׁוֹכֵחַ	אוֹרֵחַ

SIDDUR PHRASES

.10 אַתָּה קָדוֹשׁ, שִׁמְךָ קָדוֹשׁ.

.11 אֱלֹהֵי אַבְרָהָם, אֱלֹהֵי יַעֲקֹב.

.12 בָּרוּךְ אַתָּה. מְקַדֵשׁ הַשַּׁבָּת.

.13 שַׁבַּת קָדְשֶׁךָ. בְּשֵׁם קָדְשְׁךָ.

.14 נָשִׂיחַ בְּחֻקֶּיךָ. בְּדִבְרֵי תוֹרָתֶךָ.

הַגָדָה

The **Haggadah** is the prayer book which is read during the **seder** ceremony on Passover. The **Haggadah** contains stories, prayers and songs, praising God for his deliverance of the Jews from Egyptian slavery.

The **Haggadah** has been published in many editions and a great number of them have been illustrated and illuminated by leading artists.

The word **Haggadah** is derived from the Hebrew word "to tell."

1. הַגָדָה – הַ

הַ קַ חַ יַ שַׁ שַׁ

חַ כַ הַ פַ תַ תַ

2. הַגָדָה – גָ

גָ הָ דָ אָ עָ בָ

בָ הָ פָ רָ קָ חָ

3. הַגָדָה – דָה

דָה גָה קָה חָה יָה

כָה פָה נָה תָה לָה

4. הַגָדָה – דָה

דָה דָג דָל דָב דָשׁ

דָת דָם דָךְ דָח דָר

5. הַגָדָה – גָדָה

גָדָה קָדָה חָדָה יָדָה

עָדָה פָדָה רָדָה שָׁדָה

RHYTHM READING

1. הַגָּדָה הַגָּנָה הַגָּהָה הַגָּבָה
2. גָּדַל גָּמַל גָּאַל גָּלַל
3. גָּדוֹל הַגָּדוֹל גִּבּוֹר הַגִּבּוֹר
4. גְּדוֹלָה גְּדֻלָּה גְּאוּלָה גְּאֻלָּה
5. גְּבוּרָה מְדוּרָה קְשׁוּרָה שְׁמוּרָה
6. מָשִׁיחַ נָשִׁיחַ נָשׁוּחַ מָשׁוּחַ
7. גּוֹאֵל יוֹאֵל שׁוֹאֵל הוֹאֵל
8. נְגִילָה חֲלִילָה מְגִילָה מְחִילָה
9. שָׂמֵחַ יָרֵחַ נוֹגֵחַ אוֹרֵחַ

SIDDUR PHRASES

10. אַתָּה גִּבּוֹר לְעוֹלָם אֲדֹנָי.
11. הָאֵל הַגָּדוֹל הַגִּבּוֹר הַנּוֹרָא.
12. מֵבִיא גְּאֻלָּה לִבְנֵי בְנֵיהֶם.
13. שִׁירָה חֲדָשָׁה שִׁבְּחוּ גְאוּלִים.
14. שְׁמַע קוֹלֵנוּ, אֲדֹנָי אֱלֹהֵינוּ.

Siddur means "order." The **siddur** is a prayer book containing the prayers for the Shabbat and for daily worship. There are three daily prayer services: Shaharit, the morning service, Minha, the afternoon service, and Maariv, the evening service.

The first complete **siddur** was edited by Saadia Gaon in the 10th century.

Today there are many editions of the **siddur.** The **siddur** has been translated into many languages.

סִדּוּר

1. סִדּוּר – סִ

סִ תִ גִ קִ כִ חִ

שִׁ שִׂ אִ עִ פִ דִ

2. סִדּוּר – דוּ

דוּ סוּ תוּ לוּ נוּ בּוּ

בוּ גוּ קוּ יוּ רוּ מוּ

3. סִדּוּר – דוּר

דוּר סוּר תוּר לוּר נוּר

בּוּר גוּר קוּר יוּר רוּר

מוּר

4. סִדּוּר – דוּר

דוּר דוּג דוּשׁ דוּד דוּךְ

דוּק דוּס דוּל דוּת דוּם

דוּב

RHYTHM READING

1. סִדּוּר סִיּוּר שִׁדּוּר בִּדּוּר
2. סָגַר סָחַר סָפַר סָקַר
3. נֵס נִסִּי נִסִּים הַנִּסִּים
4. מָנוּס מָנוֹת מָרוֹת מָעוֹת
5. מָסַר סָתַר אָסַר עָתַר
6. קֶסֶם קֶסֶת קֶשֶׁת רֶשֶׁת
7. סֶלָה סֶלַע בֶּלַע קֶלַע
8. סוֹלֵחַ שׁוֹלֵחַ שׁוֹכֵחַ נוֹגֵחַ
9. אָסוּר מָסוּר לָסוּר נָסוּר

SIDDUR PHRASES

10. תּוֹרַת חַיִּים. אַהֲבַת חֶסֶד.
11. חַסְדֵי אָבוֹת. מֵבִיא גְּאֻלָּה.
12. אַל תָּסִיר מִמֶּנּוּ לְעוֹלָמִים.
13. סוֹמֵךְ נוֹפְלִים, רוֹפֵא חוֹלִים.
14. מַתִּיר אֲסוּרִים. מְקַיֵּם אֱמוּנָתוֹ.

פֶּסַח

Pesaḥ marks the beginning of spring. On **Pesaḥ** we celebrate the deliverance of the Hebrews from Egyptian slavery with a special feast called a seder. At the seder we retell the story of the liberation of our forefathers from the land of Egypt. We also eat matzot for a whole week.

Pesaḥ has three names. In English these are: Passover, Feast of Freedom and Festival of Matzot.

.1 פֶּסַח – פֶּ

פֶּ סֶ גֶ קֶ חֶ יֶ

שֶׁ שֶׂ כֶ פֶ שֶׁ שֶׂ

.2 פֶּסַח – סַ

סַ פַּ פַ חַ כַ לַ

בַּ בַ אַ עַ דַ שַׁ

.3 פֶּסַח – סַח

סַח פַּח לַח בַּח בַח

נַח רַח תַח גַח קַח

.4 פֶּסַח – סַח

סַח סַל סַם סַךְ סַד

סַב סַר סַע סַי סַק

RHYTHM READING

1. פֶּסַח פֶּרַח פֶּתַח פֶּלַח
2. פּוֹדֶה פּוֹרֶה פּוֹתֶה פּוֹשֶׁה
3. פָּנָה פָּנִים בָּנָה בָּנִים
4. פָּגַשׁ פָּרַשׁ פָּרָשׁ חָרָשׁ
5. פּוֹתֵחַ פּוֹרֵחַ פּוֹקֵחַ פּוֹסֵחַ
6. קוֹמֶךָ יָדֶךָ לְבָבֶךָ מְאֹדֶךָ
7. פָּנֶיךָ עֵינֶיךָ בֵּיתֶךָ אֵלֶיךָ
8. פָּתְחוּ פָּסְחוּ פָּקְחוּ פָּרְחוּ
9. עַל פָּעַל גָּאַל שָׁאַל

SIDDUR PHRASES

10. אֶרֶךְ אַפַּיִם, רַב חֶסֶד.
11. פּוֹתֵחַ שְׁעָרִים. מְשַׁנֶּה עִתִּים.
12. בְּאוֹר פָּנֶיךָ נָתַתָּ לָּנוּ.
13. יָאֵר אֲדֹנָי פָּנָיו אֵלֶיךָ.
14. אֵל פּוֹעֵל יְשׁוּעוֹת אָתָּה.

יוֹסֵף

Yosef was the eleventh son of Jacob and the first son of Rachel. He was Jacob's favorite, and he was good at interpreting dreams. His brothers were jealous of **Yosef** and sold him into Egyptian slavery.

Through his wisdom in interpreting dreams, **Yosef** became a prince in Egypt and saved the country from a terrible famine.

Yosef brought his father Jacob (Israel), his brothers and their families to Egypt. That is how the Children of Israel came to Egypt.

.1 יוֹסֵף – יוֹ

יוֹ פוֹ סוֹ גוֹ קוֹ חוֹ

כוֹ אוֹ עוֹ תֹ תוֹ נוֹ

.2 יוֹסֵף – סֵ

סֵ תֵ שֵׁ שֵׂ לֵ מֵ

דֵ רֵ פֵּ פֵ בֵּ בֵ

.3 יוֹסֵף – סֵף

סֵף יֵף גֵף קֵף חֵף

רֵף נֵף דֵף אֵף לֵף

.4 יוֹסֵף – סֵף

סֵף סֵךְ סֵם סֵל סֵד

סֵר סֵק סֵג סֵב סֵת

RHYTHM READING

1. יוֹסֵף אוֹסֵף אוֹפֵף עוֹפֵף
2. חוֹף סוֹף תּוֹף עוֹף
3. אָסַף רָדַף עָקַף עָרַף
4. עָיֵף יָעֵף יָחֵף דוֹחֵף
5. עוּף לָעוּף סוּף בַּסוּף
6. אָסַף אָסַפְתִּי דָחַף דָחַפְתִּי
7. שָׂרַף שָׂרַפְתִּי טָרַף טָרַפְתִּי
8. חֹרֶף חֹרֶב חֶרֶב הֶרֶף
9. עָף עָפָה עָפָר הֶעָפָר

SIDDUR PHRASES

10. חָרָה אַף אֲדֹנָי בָּכֶם.
11. יַם סוּף בָּקַעְתָּ לִפְנֵיהֶם.
12. יִשָּׂא אֲדֹנָי פָּנָיו אֵלֶיךָ.
13. אֲנִי אֲדֹנָי אֱלֹהֵיכֶם אֱמֶת.
14. נוֹדֶה לְךָ, נְסַפֵּר תְּהִלָּתֶךָ.

סֻכּוֹת

Sukkot means *"booths."* The holiday of **Sukkot,** is also called the Feast of Tabernacles and commemorates the time our ancestors wandered in the wilderness and lived in temporary booths.

On **Sukkot** we too build booths of branches and decorate them with flowers and fruits. We also recite blessings over the *lulav* and *etrog*.

Sukkot is one of the three pilgrimage festivals and celeblates the gathering of the harvest in Israel.

Sukkot begins five days after Yom Kippur and lasts for nine days.

.1 סֻכּוֹת – סֻ

סֻ תֻ שֻׁ שֻׂ לֻ מֻ

נֻ חֻ כֻ אֻ עֻ יֻ

.2 סֻכּוֹת – כּוֹ

כּוֹ כוֹ פּוֹ פוֹ גוֹ

בּוֹ בוֹ תּוֹ תוֹ דוֹ

.3 סֻכּוֹת – כּוֹת

כּוֹת כוֹת נוֹת מוֹת אוֹת

פּוֹת פוֹת קוֹת דוֹת חוֹת

.4 סֻכּוֹת – כּוֹת

כּוֹת כּוֹל כּוֹס כּוֹף כּוֹךְ

כּוֹשׁ כּוֹד כּוֹג כּוֹר כּוֹם

RHYTHM READING

1. סֻכּוֹת סֻכָּה סֻכָּר הַסֻכָּר
2. כֹּל כֻּלִי כֻּלוֹ כֻּלָנוּ
3. כָּכָה כָּבָה כָּפָה כָּלָה
4. כַּבִּיר אַבִּיר אַכִּיר תַּכִּיר
5. כִּסֵא כִּסָה כִּפָּה כִּלָה
6. כָּבוֹד כְּבוֹד כְּבוֹדִי כְּבוֹדוֹ
7. כַּף כַּפַּיִם אַף אַפַּיִם
8. כַּפִּי כַּפַּי אַפִּי אַפַּי
9. כִּפּוּר סִפּוּר סִפּוּרִים כִּפּוּרִים

SIDDUR PHRASES

10. לְכָה דוֹדִי לִקְרַאת כַּלָה.
11. בָּרוּךְ שֵׁם כְּבוֹד מַלְכוּתוֹ.
12. בָּרוּךְ כְּבוֹד אֲדֹנָי מִמְקוֹמוֹ.
13. הוּא אָבִינוּ, הוּא מַלְכֵּנוּ.
14. אָבִינוּ מַלְכֵּנוּ חָנֵּנוּ וַעֲנֵנוּ.

חֲנוּכָּה

Hanukkah (Feast of Dedication) is celebrated for eight days. On the first night of **Hanukkah** we light one candle, on the second night, two, and so on, until, on the eighth night all the candles in the menorah are lit.

Hanukkah celebrates the victory of a small Jewish army over the mighty Syrians.

Hanukkah symbolizes the victory of freedom over tyranny, and godliness over idol worship.

.1 חֲנוּכָּה – חַ

חַ כַ כַּ לַ מַ נַ

.2 חֲנוּכָּה – נוּ

נוּ בּוּ בוּ תּוּ תוּ

.3 חֲנוּכָּה – חֲנוּ

חֲנוּ הֲנוּ אֲנוּ עֲנוּ

.4 חֲנוּכָּה – חֲנוּ

חֲנוּ חֲבוּ חֲלוּ חֲגוּ

חֲדוּ חֲסוּ חֲפוּ חֲיוּ

.5 חֲנוּכָה – כָּה

כָּה בָּה בָה לָה מָה

.6 חֲנוּכָה – כָה

כָה כָל כָךְ כָּם כָּף

.7 חֲנוּכָה – נוּכָה

נוּכָה הוּכָה מוּכָה סוּכָה

לוּכָה דוּכָה תוּכָה חוּכָה

RHYTHM READING

1. חֲנוּכָּה אֲרוּכָּה אֲבוּקָה אֲבוּדָה
2. חִכָּה הִכָּה סִכָּה דִּכָּה
3. סֻכָּה סוּכָּה סִכָּה נִכָּה
4. סִידּוּר סִדּוּר כַּדּוּר חָדוּר
5. קִידּוּשׁ קִדּוּשׁ חִדּוּשׁ גָּדוּשׁ
6. כֹּחַ מֹחַ רֵיחַ יָרֵחַ
7. כֶּרֶךְ פֶּרֶךְ בֶּרֶךְ דֶּרֶךְ
8. בָּרוּךְ בְּרוּכָה בְּרָכָה הַבְּרָכָה
9. אֶלֶף אַלְפֵי כֶּסֶף כַּסְפִּי

SIDDUR PHRASES

10. לְהַדְלִיק נֵר שֶׁל חֲנֻכָּה.
11. בָּרוּךְ שֶׁעָשָׂה נִסִּים לַאֲבוֹתֵינוּ.
12. הַנֵּרוֹת הַלָּלוּ אֲנַחְנוּ מַדְלִיקִים.
13. כָּל שְׁמֹנַת יְמֵי חֲנֻכָּה.
14. בָּחַר בָּנוּ מִכָּל הָעַמִּים.

A **ḥazan** is a cantor. The **ḥazan** has a trained musical voice and assists the rabbi in conducting the prayer services.

Today there are many schools which specialize in training gifted students to be **ḥazanim** (cantors).

חַזָן

1.	חַזָן – חַ

חַ כַ שַׁ שַׂ מַ לַ

כַּ קַ פַּ פַ אַ עַ

2.	חַזָן – זָ

זָ גָ חָ כָ סָ תָ

פָּ פָ בָּ בָ יָ אָ

3.	חַזָן – זָן

זָן אָן מָן לָן דָן

נָן רָן הָן גָן תָן

4.	חַזָן – זָן

זָן זָךְ זָג זָר זָב

זָד זָח זָק זָף זָם

RHYTHM READING

1. חַזָן הַזָן הַזָר הַזָךְ
2. חָזַר עָזַר גָזַר שָׁזַר
3. מָזוֹן מָרוֹן מָעוֹן מָכוֹן
4. זָן לָן מָן דָן
5. זַיִן אַיִן עַיִן יַיִן
6. זָקָן זָקֵן זְקֵנָה זִקְנָה
7. אָכֵן הָכֵן לָכֵן שָׁכֵן
8. זָדוֹן אָדוֹן מָדוֹן מָלוֹן
9. גֶפֶן דֹפֶן חֹפֶן אֹפֶן

SIDDUR PHRASES

10. בָּרוּךְ הַזָן אֶת הַכֹּל.
11. אֲדֹנָי אֱלֹהֵינוּ, אֵין זוּלָתוֹ.
12. מֶלֶךְ עוֹזֵר מוֹשִׁיעַ מָגֵן.
13. בָּרוּךְ בּוֹרֵא פְּרִי הַגָפֶן.
14. בַּיָמִים הָהֵם בַּזְמַן הַזֶה.

מְזוּזָה

Mezzuzah means "doorpost." The **mezzuzah** consists of a decorative case in which the **Shema,** a passage from the Torah (Deut. 6:4-9) and other verses have been handwritten on a piece of parchment.

The **mezzuzah** is placed on the right side of the doorpost of homes, temples and schools.

The Shema contains declarations of God's greatness and man's responsibility for observing His commandments.

1. מְזוּזָה – זוּ

זוּ גוּ פּוּ פוּ בּוּ בוּ

כּוּ כוּ חוּ תוּ תּוּ קוּ

2. מְזוּזָה – מְזוּ

מְזוּ מְדוּ מְחוּ מְכוּ

מְקוּ מְפוּ מְבוּ מְשׁוּ

3. מְזוּזָה – זָה

זָה בָּה בָה לָה מָה

פָּה פָה סָה תָה תָּה

4. מְזוּזָה – זָה

זָה זָב זָג זָז זָע

זָן זָךְ זָר זָם זָק

5. מְזוּזָה – זוּזָה

זוּזָה לוּזָה מוּזָה חוּזָה

רוּזָה עוּזָה קוּזָה גוּזָה

RHYTHM READING

1. מְזוּזָה   אֲחוּזָה   אֲרוּזָה   לוּזָה
2. זָר   גָר   סָר   פָּר   הָר
3. זָכַר   מָכַר   עָכַר   חָכַר
4. זָמִיר   שָׁמִיר   עָמִיר   יָמִיר
5. זְבוּב   זְבוּל   זְהוּב   כְּרוּב
6. פָּז   גָז   רָז   אָז
7. זַךְ   הַךְ   רַךְ   אַךְ
8. זָקֵף   זָקֵן   זָקִיף   עָקִיף
9. זִכָּרוֹן   שִׁכָּרוֹן   עִפָּרוֹן   עִשָּׂרוֹן

SIDDUR PHRASES

10. כְּתַבְתָּם עַל מְזוּזוֹת בֵּיתֶךָ.
11. אֲדֹנָי זוֹכֵר חַסְדֵי אָבוֹת.
12. מֶלֶךְ עוֹזֵר. מֶלֶךְ חַי.
13. אֲדֹנָי אֱלֹהֵינוּ, אֵין זוּלָתוֹ.
14. עֵינֵי כֹל אֵלֶיךָ יְשַׂבֵּרוּ.

מַצָה

Matzah is unleavened bread. The Torah commands us to eat **matzah** during the week of Passover. The unleavened bread reminds us of the flight of the Children of Israel from the land of Egypt.

Our forefathers left so hurriedly that they had no time to bake bread, so they strapped the raw dough on their backs and fled. The hot desert sun soon baked the raw dough into **matzah.**

1. מַצָה – מַ

מַ פַּ פַ דַ רַ יַ

סַ תַ שַׁ שַׂ גַ זַ

2. מַצָה – צָ

צָ רָ קָ כָּ כָ חָ

בָּ בָ הָ דָ זָ גָ

3. מַצָה – צָה

צָה יָה מָה לָה בָּה

כָּה כָה חָה גָה זָה

4. מַצָה – צָה

צָה צָב צָם צָד צָג

צָף צָךְ צָר צָק צָן

RHYTHM READING

1. מַצָה מַכָּה כַּמָה כַּלָה
2. צָם צָר צָד צָב
3. צוֹפֶה אוֹפֶה אוֹדֶה מוֹדֶה
4. צָדַק צָחַק צָעַק צָמַק
5. צִיֵר צִיֵד צִיֵת צִיֵן
6. צִיוֹן צִיוּן צִיוּר דִיוּר
7. צוֹמֵחַ צוֹרֵחַ זוֹרֵחַ בּוֹרֵחַ
8. קָצַף רָצַף צָרַף שָׂרַף
9. רָצוֹן לָצוֹן לָשׁוֹן שָׁשׁוֹן

SIDDUR PHRASES

10. יוֹצֵר אוֹר, בּוֹרֵא חֹשֶׁךְ.
11. בָּרוּךְ אַתָּה יוֹצֵר הַמְּאוֹרוֹת.
12. צוּר חַיֵּינוּ, מָגֵן יִשְׁעֵנוּ.
13. אֱלֹהַי נְצוֹר לְשׁוֹנִי מֵרָע.
14. אֱלֹהֵי אַבְרָהָם אֱלֹהֵי יִצְחָק.

מִצְוָה

Mitzvah means "commandment," or "good deed." It comes from the Hebrew word **zav**—"to command."

There are 248 positive **mitzvot** (thou shalt . . .) corresponding to the parts of the body—each part pleads with man to perform a **mitzvah** with it. There are 365 negative **mitzvot** (thou shalt not . . .) corresponding to the number of days in the year—each day pleads with man not to sin.

God gave us the **mitzvot** and their observances to help make us better people and to bring peace and brotherly love to all the world.

1. מִצְוָה – מִ

מִ נִ סִ שִׁ שִׂ גִ

פִּ פִ קִ כִּ יִ עִ

2. מִצְוָה – מִצְ

מִצְ מִסְ מִשְׁ מִחְ מִכְ

מִקְ מִבְ מִפְ מִמְ מִלְ

3. מִצְוָה – וָ

וָ זָ חָ הָ פָּ פָ

צָ גָ הָ נָ מָ קָ

4. מִצְוָה – וָה

וָה בָה גָה זָה דָה

רָה שָׁה פָּה פָה

5. מִצְוָה – וָה

וָה וָו וָז וָם וָס

וָק וָג וָךְ וָן וָר

RHYTHM READING

1. מִצְוָה מִקְוָה מִלְוָה מִכְוָה
2. צִוָה צִוָנוּ עִוָה עִוִינוּ
3. מִצְוָה מִצְוֹת מַצוֹת מַצָה
4. עָוָה עָוֹן עֲוֹנִי עֲוֹנוֹת
5. עָוָה עָוִינוּ אָבָה אָבִינוּ
6. וַעַד צַעַד רַעַד סַעַד
7. וֶרֶד מֶרֶד תֶּרֶד זֶרֶד
8. שָׁוֶה רָוֶה שָׁוָה רָוָה
9. גְוִיָה כְוִיָה צְבִיָה חָזִיָה

SIDDUR PHRASES

10. וְהוּא אֶחָד, וְאֵין שֵׁנִי.
11. וְהוּא הָיָה, וְהוּא הֹוֶה.
12. וַיוֹצֵא אֶת עַמוֹ יִשְׂרָאֵל.
13. וַעֲשִׂיתֶם אֶת כָל מִצְוֹתָי.
14. וְנֶאֱמַר כִי פָדָה אֲדֹנָי.

הַתִּקְוָה

Hatikvah which means "The Hope," is the national anthem of the State of Israel.

The Hebrew poet Naphtali Herz Imber wrote this poem in 1878. It became the national anthem of the Zionist movement with First Zionist Congress in 1897.

Hatikvah expresses the everlasting desire of the Jewish people to live as a free nation in the land of Israel.

1. הַתִּקְוָה – הַ

הַ וַ זַ חַ יַ לַ

מַ נַ סַ עַ פַּ פַ

2. הַתִּקְוָה – תִּ

תִּ תִ וִ בִּ צִ זִ

כִּ כִ חִ גִ נִ שִׁ

3. הַתִּקְוָה – תִּקְ

תִּקְ תִקְ שִׁקְ שִׂקְ הִקְ

מִקְ לִקְ יִקְ חִקְ זִקְ

4. הַתִּקְוָה – וָה

וָה בָה בָּה לָה מָה

צָה דָה הָה חָה קָה

5. הַתִּקְוָה – וָה

וָה וָו וָז וָס וָל

וָק וָר וָד וָף וָן

RHYTHM READING

1. הַתִּקְוָה הַמִּקְוָה הַמִּצְוָה הַמִּלְוָה
2. תִּקְוָה תִּקְרָה תִּקְרָא מִקְרָא
3. קְרָא בְּרָא בָּרָא קָרָא
4. זָרָה זָרַע קָרָה קָרַע
5. קָרַע קְרַע שָׁמַע שְׁמַע
6. קוֹרֵא וְקוֹרֵא רוֹפֵא וְרוֹפֵא
7. אֵין וְאֵין כֵּן וְכֵן
8. מִצְוָה מִצְוֹת מִצְוֹתַי מִצְוֹתָי
9. תִּקְוָה תִּקְווֹת תִּקְווֹתַי תִּקְווֹתָי

SIDDUR PHRASES

10. בֵּית יַעֲקֹב, לְכוּ וְנֵלְכָה.
11. רָם עַל כָּל גּוֹיִם אֲדֹנָי.
12. תּוֹרַת חַיִּים וְאַהֲבַת חֶסֶד.
13. וְקָרָא זֶה אֶל זֶה וְאָמַר.
14. מֵעַתָּה וְעַד עוֹלָם הַלְלוּיָהּ.

The **Haftarah,** a portion from the Prophets, is read after the Torah portion (Sidrah). The **Haftarah** always has some connection with the Sidrah being read.

During the Roman occupation of Israel, the conquerors forbade the reading of the Torah. To outwit the Romans, the Jews read sections from the Prophets.

The one who is given the honor of reading the **Haftarah** is called the "maftir."

הַפְטָרָה

.1 הַפְטָרָה — הַפְ

הַפְ חַפְ דַפְ נַפְ מַפְ

שַׁפְ שַׂפְ סַפְ זַפְ צַפְ

.2 הַפְטָרָה — הַפְ

הַפְ הַדְ הַגְ הַרְ הַלְ

הַסְ הַשְׂ הַזְ הַצְ הַשְׁ

.3 הַפְטָרָה — טָ

טָ תָּ תָ סָ שָׁ דָ

רָ וָ בָ בָּ פָּ פָ

.4 הַפְטָרָה — רָה

רָה וָה בָה בָּה פָּה

פָה טָה תָּה כָּה כָה

.5 הַפְטָרָה — רָה

רָה רָע רָב רָז רָל

רָג רָךְ רָן רָף רָם

.6 הַפְטָרָה — טָרָה

טָרָה קָרָה הָרָה גָרָה

זָרָה צָרָה חָרָה שָׂרָה

RHYTHM READING

1. הַפְטָרָה הַפְגָּנָה הַפְלָגָה הַפְרָזָה

2. טוֹב טוֹבָה טוֹבִים טוֹבוֹת

3. טַל טַלִי טַלִית הַטַלִית

4. טָמִיר זָמִיר שָׁמִיר עָמִיר

5. מָטָר מָחָר מָחָה מָנָה

6. טָמַן טָחַן בָּחַן גָּחַן

7. טוֹרֵחַ צוֹרֵחַ מוֹרֵחַ זוֹרֵחַ

8. טָרַף שָׂרַף חָרַף גָּרַף

9. טוֹב טוֹבוֹ טוֹבֶךְ טוֹבֵנוּ

SIDDUR PHRASES

10. לֶקַח טוֹב נָתַתִּי לָכֶם.

11. מַה טֹּבוּ אֹהָלֶיךָ יַעֲקֹב.

12. וְהָיוּ לְטֹטָפוֹת בֵּין עֵינֶיךָ.

13. וְחַיֵּי עוֹלָם נָטַע בְּתוֹכֵנוּ.

14. שִׂים שָׁלוֹם טוֹבָה וּבְרָכָה.

Eretz means land. The land of Israel is called **Eretz Yisrael.** The modern State of Israel marks the first time the Jews have had an independent homeland since the destruction of the second Temple in 70 C. E.

Independence Day in **Eretz Yisrael** was May 14, 1948 and is celebrated every 5th of Iyar.

אֶרֶץ

1. אֶרֶץ – אֶ

אֶ עֶ תֶּ טֶ קֶ כֶּ

בֶּ וֶ חֶ כֶ תֶ סֶ

2. אֶרֶץ – רֶ

רֶ לֶ מֶ דֶ הֶ פֶּ

פֶ זֶ צֶ נֶ שֶׁ שֶׂ

3. אֶרֶץ – רֶץ

רֶץ עֶץ חֶץ קֶץ כֶּץ

מֶץ לֶץ גֶץ זֶץ טֶץ

RHYTHM READING

1. אֶרֶץ פֶּרֶץ קֶרֶץ מֶרֶץ
2. רוּץ חָרוּץ חָלוּץ חָמוּץ
3. מִיץ חָמִיץ חָמֵץ חָפֵץ
4. קַיִץ חַיִץ חַיִל תַּיִל
5. אֶרֶץ אֶרֶךְ פֶּרֶךְ יֶרֶךְ
6. עֵץ יוֹעֵץ רוֹעֵץ נוֹעֵץ
7. מוֹץ אָמוֹץ אָמוֹן רִמוֹן
8. הֵפִיץ הֵפִיר הֵפִיק מֵפִיק
9. קוֹפֵץ קוֹרֵץ קוֹרֵן קוֹנֵן

SIDDUR PHRASES

10. הַמֵּאִיר לָאָרֶץ וְלַדָּרִים עָלֶיהָ.
11. מְלֹא כָל הָאָרֶץ כְּבוֹדוֹ.
12. הַמּוֹצִיא לֶחֶם מִן הָאָרֶץ.
13. כִּי בָא לִשְׁפֹּט אֶת הָאָרֶץ.
14. כִּימֵי הַשָּׁמַיִם עַל הָאָרֶץ.

Has the sound of H — Has the sound of D — Has the sound of G — Has the sound of V — Has the sound of B — Silent letter

Has the sound of K — Has the sound of Y — Has the sound of T — Has the sound of Ḥ — Has the sound of Z — Has the sound of V

Has the sound of N — Has the sound of M At the end of a word — Has the sound of M — Has the sound of L — Has the sound of Ḥ At the end of a word — Has the sound of Ḥ

Has the sound of F At the end of a word — Has the sound of F — Has the sound of P — Silent letter — Has the sound of S — Has the sound of N At the end of a word

Has the sound of S — Has the sound of SH — Has the sound of R — Has the sound of K — Has the sound of TZ At the end of a word — Has the sound of TZ

Has the sound of E as in "bell" — Has the sound of A — Has the sound of A as in "father" — Has the sound of A as in tall SFARDI A as in "father" — Has the sound of S SFARDI T

Has the sound of O SFARDI as in "for" — Has the sound of OO as in "moon" — Has the sound of I as in "sit" — Has no sound — Has the sound of T

SUPPLEMENTARY READING EXERCISES

LOOK-ALIKE

SOUND-ALIKE

וּ = אוּ

(in the beginning of the word)

1. וּמֵבִיא וּמְקַיֵּם וּמַתִּיר וּמַצְמִיחַ

2. וּמוֹדִים וּמָגֵן וּמִשְׁתַּחֲוִים וּמְרַחֵם

3. וּבְלֶכְתְּךָ וּבְשָׁכְבְּךָ וּבְקוּמֶךָ וּבָנוּ

4. וּקְשַׁרְתָּם וּכְתַבְתָּם וּגְאָלוֹ וּדְבַר

אֲדֹנָי = יְיָ = יְהֹוָה

5. בָּרוּךְ אַתָּה יְיָ אֱלֹהֵינוּ.

6. שְׁמַע יִשְׂרָאֵל יְהֹוָה אֱלֹהֵינוּ.

7. בָּרוּךְ אַתָּה יְיָ נוֹתֵן הַתּוֹרָה.

8. אַתָּה גִּבּוֹר לְעוֹלָם אֲדֹנָי.

9. יְהֹוָה יְהֹוָה אֵל רַחוּם.

כֹּהֵן
אֲרוֹן קֹדֶשׁ

1. כּוֹנֵן   כּוֹנֵן   כּוֹתֵב   כּוֹאֵב
2. כּוֹבַע   קוֹבַע   קָבַע   כָּוָה
3. קֹדֶשׁ   קְדוּשָׁה   קַדִּישָׁא   קַדִּישׁ
4. כֶּבֶשׂ   כֶּבֶשׁ   קֶדֶשׁ   קֶרֶשׁ
5. קָרָה   כָּרָה   כִּירָה   קוֹרָה

סִינַי
נָשִׂיא
אֶתְרוֹג

1. סִינַי   סִין   סִימָן   סִינָר
2. נָשִׂיא   שִׂיא   שִׂיחָה   סִיכָה
3. אֶתְרוֹג   אֶסְרֹג   סְרִיגִים   שְׂרִידִים
4. חָתָן   חָסוֹן   חָסַר   חָתַר
5. חָשַׁךְ   חָסַךְ   חָסִיל   חָתוּל

חָתָן

חָכְמָה

חֹדֶשׁ

1. חָכְמָה חֲכָמָה חָכָם הֶחָכָם

2. חַיָל חַיָב חַיָט חַיָה

3. בָּחוּר בַּחוּרִים בְּכוֹר בְּכוֹרִים

4. בָּכָה דָחָה כָּכָה נָחָה

5. הִכְחִישׁ הִכְחִיד הַכְחָדָה הַכְחָשָׁה

טַלִית

תַּנַ״ךְ

1. טַלִית תַּגְלִית תַּעֲנִית טַעֲנוֹת

2. תּוֹעֶה טוֹעֶה טְחִינָה תְּחִנָה

3. תַּנַךְ תָּמַךְ טָרַח טָפַח

4. טָבַע תָּבַע תּוֹבֵעַ טוֹבֵעַ

5. טִירָה תִּירָא טָרָה תָּרַע

לֵוִי
אָבוֹת

.1	לֵוִי	לָוָה	אָבָה	כָּבָה
.2	לֹוָה	חוֹבָה	טוֹבָה	טָוָה
.3	וָו	רָב	רָבִים	שָׁוִים
.4	אָבוֹת	שָׁווֹת	שָׁוִים	שָׁבִים
.5	וָוִית	זָוִית	חָבִית	אָבִית

אָמֵן
עֲנָוָה

.1	אָמֵן	עָמֵל	עָמָל	אָמָן
.2	אִמָא	עִמָה	עִמָנוּ	אִמֵנוּ
.3	אֹמֶר	עֹמֶר	עֳמָרִים	אֳמָנִים
.4	עֲנָוָה	אַהֲבָה	רַאֲוָה	שַׁעֲוָה
.5	עִקָר	אִכָּר	אֱכָל	עִכּוּל

מַזָל
טוֹב

1. מַזָל מַזָר מוּזָר מוּזָל
2. טוּב טוּס טוּל טוּר
3. מִטָה מֶטֶה מַטָה מָטָה
4. טָמֵא טְמֵאָה טְמוּנָה טְמוּמָה
5. מָטָר מַטָרָה מָטוֹס מָנוֹס

שׁוֹפָר
שִׂמְחָה

1. שׁוֹפָר שׁוֹפֵט שׁוֹפֵךְ שׁוֹפֵת
2. שִׂמְחָה שָׂמֵחַ שָׂמַח צָמַח
3. שָׂפָה שָׂפָם שָׂפָה שָׂפָן
4. שָׂטָן שָׂפָן שָׂפָל שָׂפָה
5. שָׁבוּעַ שָׁבוּעַ שָׁקוּעַ שָׁרוּעַ

פּוּרִים

סֵדֶר

1. פּוּרִים טוּרִים אוּרִים גוּרִים
2. סֵדֶר סֵבֶר סֵבֶל סֵמֶל
3. גֵס נָס נָם חָם
4. נִסִים מִסִים גִיסִים רִיסִים
5. סַם חַם חַס טַס מַס

מִזְרָח

שָׁבוּעוֹת

1. מִזְרָח מִשְׁלָח מִבְטָח מִשְׁפָּח
2. שָׁבוּעוֹת שְׁמוּעוֹת רְצוּעוֹת רְפוּאוֹת
3. פָּתַח רָתַח מָתַח חָתַךְ
4. חָתוּל חָתוּם חָתַם חָתַךְ
5. חָתָן חֲתָנִים חֲתוּנָה חֲסוּדָה

דְרוֹר

רַבִּי

1. דְרוֹר דְרוֹם דָרוֹם דָרֹשׁ
2. דָרָךְ דָרַשׁ דָרַס דָהַר
3. יָרַד חָרַד שָׂרַד מָרַד
4. רַבִּי רַבּוֹ רַבָּה רַבֵּנוּ
5. רָדַף רָחַף דָחַף שָׁדַף

הַבְדָלָה

חֶסֶד

1. חֶסֶד חֶבֶר חֶדֶר חֶדֶק
2. הַחֶסֶד הַחֶבֶר הַחֶדֶר הַחֶדֶק
3. חָכָם הֶחָכָם חָדָשׁ הֶחָדָשׁ
4. הַבְדָלָה הַבְחָנָה הַתְחָלָה הַחְלָטָה
5. הַנַחַל הַשַׁחַל הַזַחַל הַמַחַל

SIDDUR READING EXERCISES

בִּרְכַּת הַנֵּרוֹת לְשַׁבָּת

On lighting the Sabbath candles:

בָּרוּךְ אַתָּה יְיָ, אֱלֹהֵינוּ מֶלֶךְ

הָעוֹלָם, אֲשֶׁר קִדְּשָׁנוּ בְּמִצְוֹתָיו

וְצִוָּנוּ לְהַדְלִיק נֵר שֶׁל שַׁבָּת.

קִדּוּשׁ לְלֵיל שַׁבָּת

וַיְהִי עֶרֶב וַיְהִי בֹקֶר

יוֹם הַשִּׁשִּׁי. וַיְכֻלּוּ הַשָּׁמַיִם וְהָאָרֶץ וְכָל צְבָאָם. וַיְכַל אֱלֹהִים בַּיּוֹם הַשְּׁבִיעִי מְלַאכְתּוֹ אֲשֶׁר עָשָׂה, וַיִּשְׁבֹּת בַּיּוֹם הַשְּׁבִיעִי מִכָּל מְלַאכְתּוֹ אֲשֶׁר עָשָׂה.

וַיְבָרֶךְ אֱלֹהִים אֶת יוֹם הַשְּׁבִיעִי וַיְקַדֵּשׁ אֹתוֹ, כִּי בוֹ שָׁבַת מִכָּל מְלַאכְתּוֹ, אֲשֶׁר בָּרָא אֱלֹהִים לַעֲשׂוֹת.

בָּרוּךְ אַתָּה יְיָ, אֱלֹהֵינוּ מֶלֶךְ הָעוֹלָם, בּוֹרֵא פְּרִי הַגָּפֶן.

בָּרוּךְ אַתָּה יְיָ, אֱלֹהֵינוּ מֶלֶךְ הָעוֹלָם, אֲשֶׁר קִדְּשָׁנוּ בְּמִצְוֹתָיו וְרָצָה בָנוּ, וְשַׁבַּת קָדְשׁוֹ בְּאַהֲבָה וּבְרָצוֹן הִנְחִילָנוּ, זִכָּרוֹן לְמַעֲשֵׂה בְרֵאשִׁית.

כִּי הוּא יוֹם תְּחִלָּה לְמִקְרָאֵי קֹדֶשׁ, זֵכֶר לִיצִיאַת מִצְרָיִם. כִּי בָנוּ בָחַרְתָּ וְאוֹתָנוּ קִדַּשְׁתָּ מִכָּל הָעַמִּים, וְשַׁבַּת קָדְשְׁךָ בְּאַהֲבָה וּבְרָצוֹן הִנְחַלְתָּנוּ. בָּרוּךְ אַתָּה יְיָ, מְקַדֵּשׁ הַשַּׁבָּת.

שָׁלוֹם עֲלֵיכֶם

שָׁלוֹם עֲלֵיכֶם, מַלְאֲכֵי הַשָּׁרֵת,
מַלְאֲכֵי עֶלְיוֹן, מִמֶּלֶךְ מַלְכֵי
הַמְּלָכִים, הַקָּדוֹשׁ בָּרוּךְ הוּא
בּוֹאֲכֶם לְשָׁלוֹם, מַלְאֲכֵי הַשָּׁלוֹם,
מַלְאֲכֵי עֶלְיוֹן, מִמֶּלֶךְ מַלְכֵי
הַמְּלָכִים, הַקָּדוֹשׁ בָּרוּךְ הוּא.
בָּרְכוּנִי לְשָׁלוֹם, מַלְאֲכֵי הַשָּׁלוֹם,
מַלְאֲכֵי עֶלְיוֹן, מִמֶּלֶךְ מַלְכֵי
הַמְּלָכִים, הַקָּדוֹשׁ בָּרוּךְ הוּא
צֵאתְכֶם לְשָׁלוֹם, מַלְאֲכֵי
הַשָּׁלוֹם, מַלְאֲכֵי עֶלְיוֹן, מִמֶּלֶךְ
מַלְכֵי הַמְּלָכִים, הַקָּדוֹשׁ בָּרוּךְ הוּא

בְּרָכוֹת הַתּוֹרָה 1

The person who is called to the reading of the Torah says the following blessing:

בָּרְכוּ אֶת יְיָ הַמְבֹרָךְ. 2

The Congregation responds:

בָּרוּךְ יְיָ הַמְבֹרָךְ לְעוֹלָם וָעֶד. 3

The person saying the blessing repeats the response and continues:

בָּרוּךְ אַתָּה יְיָ, אֱלֹהֵינוּ מֶלֶךְ 4
הָעוֹלָם, אֲשֶׁר בָּחַר בָּנוּ מִכָּל 5
הָעַמִּים, וְנָתַן לָנוּ אֶת תּוֹרָתוֹ. 6
בָּרוּךְ אַתָּה יְיָ, נוֹתֵן הַתּוֹרָה. 7

After reading the section of the Torah, he says:

בָּרוּךְ אַתָּה יְיָ, אֱלֹהֵינוּ מֶלֶךְ 8
הָעוֹלָם, אֲשֶׁר נָתַן לָנוּ תּוֹרַת 9
אֱמֶת, וְחַיֵּי עוֹלָם נָטַע בְּתוֹכֵנוּ. 10
בָּרוּךְ אַתָּה יְיָ, נוֹתֵן הַתּוֹרָה. 11

קְרִיאַת שְׁמַע

אֵל מֶלֶךְ נֶאֱמָן.

שְׁמַע יִשְׂרָאֵל, יְיָ אֱלֹהֵינוּ, יְיָ אֶחָד.

בָּרוּךְ שֵׁם כְּבוֹד מַלְכוּתוֹ, לְעוֹלָם וָעֶד.

וְאָהַבְתָּ אֵת יְיָ אֱלֹהֶיךָ בְּכָל לְבָבְךָ, וּבְכָל נַפְשְׁךָ, וּבְכָל מְאֹדֶךָ. וְהָיוּ הַדְּבָרִים הָאֵלֶּה, אֲשֶׁר אָנֹכִי מְצַוְּךָ הַיּוֹם עַל לְבָבֶךָ. וְשִׁנַּנְתָּם לְבָנֶיךָ, וְדִבַּרְתָּ בָּם, בְּשִׁבְתְּךָ בְּבֵיתֶךָ, וּבְלֶכְתְּךָ בַדֶּרֶךְ, וּבְשָׁכְבְּךָ, וּבְקוּמֶךָ. וּקְשַׁרְתָּם לְאוֹת עַל יָדֶךָ, וְהָיוּ לְטֹטָפֹת בֵּין עֵינֶיךָ. וּכְתַבְתָּם עַל מְזֻזוֹת בֵּיתֶךָ וּבִשְׁעָרֶיךָ.

סֵדֶר הַדְלָקַת נֵרוֹת לַחֲנֻכָּה

On lighting the candles, say:

2 בָּרוּךְ אַתָּה יְיָ, אֱלֹהֵינוּ מֶלֶךְ

3 הָעוֹלָם, אֲשֶׁר קִדְּשָׁנוּ בְּמִצְוֹתָיו

4 וְצִוָּנוּ לְהַדְלִיק נֵר שֶׁל חֲנֻכָּה.

5 בָּרוּךְ אַתָּה יְיָ, אֱלֹהֵינוּ מֶלֶךְ

6 הָעוֹלָם, שֶׁעָשָׂה נִסִּים לַאֲבוֹתֵינוּ,

7 בַּיָּמִים הָהֵם בַּזְּמַן הַזֶּה.

The following blessing is said on the first evening only:

8 בָּרוּךְ אַתָּה יְיָ, אֱלֹהֵינוּ מֶלֶךְ

9 הָעוֹלָם, שֶׁהֶחֱיָנוּ וְקִיְּמָנוּ, וְהִגִּיעָנוּ

10 לַזְּמַן הַזֶּה.

After kindling the lights, say:

1 הַנֵּרוֹת הַלָּלוּ אֲנַֽחְנוּ מַדְלִיקִים,

2 עַל הַנִּסִּים, וְעַל הַנִּפְלָאוֹת, וְעַל

3 הַתְּשׁוּעוֹת, וְעַל הַמִּלְחָמוֹת, שֶׁעָשִֽׂיתָ

4 לַאֲבוֹתֵֽינוּ בַּיָּמִים הָהֵם, בַּזְּמַן הַזֶּה,

5 עַל יְדֵי כֹּהֲנֶֽיךָ הַקְּדוֹשִׁים. וְכָל

6 שְׁמוֹנַת יְמֵי חֲנֻכָּה, הַנֵּרוֹת הַלָּלוּ

7 קֹֽדֶשׁ הֵם, וְאֵין לָֽנוּ רְשׁוּת לְהִשְׁתַּמֵּשׁ

8 בָּהֶם, אֶלָּא לִרְאוֹתָם בִּלְבָד, כְּדֵי

9 לְהוֹדוֹת וּלְהַלֵּל לְשִׁמְךָ הַגָּדוֹל,

10 עַל נִסֶּֽיךָ וְעַל נִפְלְאוֹתֶֽיךָ, וְעַל

11 יְשׁוּעוֹתֶֽיךָ.

מָעוֹז צוּר

מָעוֹז צוּר יְשׁוּעָתִי,

2

לְךָ נָאֶה לְשַׁבֵּחַ,

3

תִּכּוֹן בֵּית תְּפִלָּתִי,

4

וְשָׁם תּוֹדָה נְזַבֵּחַ,

5

לְעֵת תָּכִין מַטְבֵּחַ,

6

מִצָּר הַמְּנַבֵּחַ,

7

אָז אֶגְמוֹר בְּשִׁיר מִזְמוֹר,

8

חֲנֻכַּת הַמִּזְבֵּחַ.

9

מִי יְמַלֵּל

מִי יְמַלֵּל גְּבוּרוֹת יִשְׂרָאֵל, 2

אוֹתָן מִי יִמְנֶה? 3

הֵן בְּכָל דּוֹר יָקוּם הַגִּבּוֹר, 4

גּוֹאֵל הָעָם. 5

שְׁמַע! בַּיָּמִים הָהֵם בַּזְּמַן הַזֶּה, 6

מַכַּבִּי מוֹשִׁיעַ וּפוֹדֶה, 7

וּבְיָמֵינוּ כָּל עַם יִשְׂרָאֵל, 8

יִתְאַחֵד, יָקוּם וְיִגָּאֵל. 9

בִּרְכַּת הַנֵּרוֹת לְפֶסַח

On lighting the candles, say:

בָּרוּךְ אַתָּה יְיָ, אֱלֹהֵינוּ מֶלֶךְ הָעוֹלָם, אֲשֶׁר קִדְּשָׁנוּ בְּמִצְוֹתָיו וְצִוָּנוּ לְהַדְלִיק נֵר שֶׁל (לשבת-שַׁבָּת וְ) יוֹם טוֹב.

בָּרוּךְ אַתָּה יְיָ, אֱלֹהֵינוּ מֶלֶךְ הָעוֹלָם, שֶׁהֶחֱיָנוּ וְקִיְּמָנוּ, וְהִגִּיעָנוּ לַזְּמַן הַזֶּה.

קִדּוּשׁ לְפֶסַח

On the Sabbath, begin here:

וַיְהִי עֶרֶב וַיְהִי בֹקֶר

יוֹם הַשִּׁשִּׁי. וַיְכֻלּוּ הַשָּׁמַיִם וְהָאָרֶץ וְכָל צְבָאָם. וַיְכַל אֱלֹהִים בַּיּוֹם הַשְּׁבִיעִי מְלַאכְתּוֹ אֲשֶׁר עָשָׂה, וַיִּשְׁבֹּת בַּיּוֹם הַשְּׁבִיעִי מִכָּל מְלַאכְתּוֹ אֲשֶׁר עָשָׂה.

וַיְבָרֶךְ אֱלֹהִים אֶת יוֹם הַשְּׁבִיעִי וַיְקַדֵּשׁ אֹתוֹ, כִּי בוֹ שָׁבַת מִכָּל מְלַאכְתּוֹ, אֲשֶׁר בָּרָא אֱלֹהִים לַעֲשׂוֹת.

On week-days, begin here:

סַבְרִי מָרָנָן וְרַבּוֹתַי

בָּרוּךְ אַתָּה יְיָ, אֱלֹהֵינוּ מֶלֶךְ הָעוֹלָם, בּוֹרֵא פְּרִי הַגָּפֶן.

בָּרוּךְ אַתָּה יְיָ, אֱלֹהֵינוּ מֶלֶךְ הָעוֹלָם. אֲשֶׁר בָּחַר בָּנוּ מִכָּל עָם, וְרוֹמְמָנוּ מִכָּל לָשׁוֹן, וְקִדְּשָׁנוּ בְּמִצְוֹתָיו, וַתִּתֶּן לָנוּ יְיָ אֱלֹהֵינוּ בְּאַהֲבָה (לשבת - שַׁבָּתוֹת לִמְנוּחָה וּ) מוֹעֲדִים לְשִׂמְחָה, חַגִּים וּזְמַנִּים לְשָׂשׂוֹן, אֶת יוֹם (לשבת -הַשַּׁבָּת הַזֶּה, וְאֶת יוֹם) חַג הַמַּצּוֹת הַזֶּה. זְמַן חֵרוּתֵנוּ, (לשבת -בְּאַהֲבָה) מִקְרָא קֹדֶשׁ זֵכֶר לִיצִיאַת מִצְרָיִם.

כִּי בָנוּ בָחַרְתָּ, וְאוֹתָנוּ קִדַּשְׁתָּ,

מִכָּל הָעַמִּים. (לשבת-וְשַׁבָּת וּ) מוֹעֲדֵי

קָדְשֶׁךָ (לשבת-בְּאַהֲבָה וּבְרָצוֹן) בְּשִׂמְחָה

וּבְשָׂשׂוֹן הִנְחַלְתָּנוּ. בָּרוּךְ אַתָּה יְיָ,

מְקַדֵּשׁ (לשבת - הַשַּׁבָּת וְ) יִשְׂרָאֵל

וְהַזְּמַנִּים.

בָּרוּךְ אַתָּה יְיָ, אֱלֹהֵינוּ מֶלֶךְ

הָעוֹלָם, שֶׁהֶחֱיָנוּ וְקִיְּמָנוּ, וְהִגִּיעָנוּ

לַזְּמַן הַזֶּה.

אַרְבַּע קֻשְׁיוֹת

מַה נִּשְׁתַּנָּה הַלַּיְלָה הַזֶּה מִכָּל הַלֵּילוֹת?

1) שֶׁבְּכָל הַלֵּילוֹת אָנוּ אוֹכְלִין חָמֵץ וּמַצָּה, הַלַּיְלָה הַזֶּה כֻּלּוֹ מַצָּה:

2) שֶׁבְּכָל הַלֵּילוֹת אָנוּ אוֹכְלִין שְׁאָר יְרָקוֹת, הַלַּיְלָה הַזֶּה כֻּלּוֹ מָרוֹר.

3) שֶׁבְּכָל הַלֵּילוֹת אֵין אָנוּ מַטְבִּילִין אֲפִילוּ פַּעַם אֶחָת, הַלַּיְלָה הַזֶּה שְׁתֵּי פְעָמִים.

4) שֶׁבְּכָל הַלֵּילוֹת אָנוּ אוֹכְלִין בֵּין יוֹשְׁבִין וּבֵין מְסֻבִּין, הַלַּיְלָה הַזֶּה כֻּלָּנוּ מְסֻבִּין.